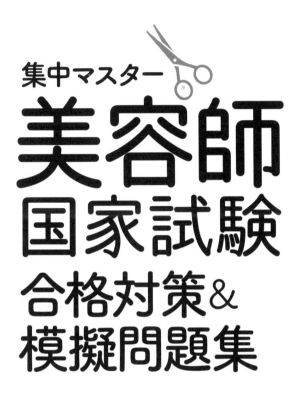

2025-
2026
年版

集中マスター

美容師 国家試験

合格対策&模擬問題集

石井 至●著
JHEC（日本美容教育委員会）●編

日本能率協会マネジメントセンター

本書の内容に関するお問い合わせについて

平素は日本能率協会マネジメントセンターの書籍をご利用いただき、ありがとうございます。

弊社では、皆様からのお問い合わせへ適切に対応させていただくため、以下①～④のようにご案内いたしております。

①お問い合わせ前のご案内について

現在刊行している書籍において、すでに判明している追加・訂正情報を、弊社の下記 Web サイトでご案内しておりますのでご確認ください。

https://www.jmam.co.jp/pub/additional/

②ご質問いただく方法について

①をご覧いただきましても解決しなかった場合には、お手数ですが弊社 Web サイトの「お問い合わせフォーム」をご利用ください。ご利用の際はメールアドレスが必要となります。

https://www.jmam.co.jp/inquiry/form.php

なお、インターネットをご利用ではない場合は、郵便にて下記の宛先までお問い合わせください。電話、FAX でのご質問はお受けいたしておりません。
〈住所〉 〒 103-6009　東京都中央区日本橋 2-7-1　東京日本橋タワー 9F
〈宛先〉 ㈱日本能率協会マネジメントセンター　ラーニングパブリッシング本部　出版部

③回答について

回答は、ご質問いただいた方法によってご返事申し上げます。ご質問の内容によっては弊社での検証や、さらに外部へ問い合わせることがございますので、その場合にはお時間をいただきます。

④ご質問の内容について

おそれいりますが、本書の内容に無関係あるいは内容を超えた事柄、お尋ねの際に記述箇所を特定されないもの、読者固有の環境に起因する問題などのご質問にはお答えできません。資格・検定そのものや試験制度等に関する情報は、各運営団体へお問い合わせください。

また、著者・出版社のいずれも、本書のご利用に対して何らかの保証をするものではなく、本書をお使いの結果について責任を負いかねます。予めご了承ください。

本書の使い方

　本書は、国家試験である美容師試験の筆記試験対策の問題集です。

　美容師試験は、2020年以降、以下のような内訳で出題されます。バランスよく勉強することが大切なのがおわかりいただけると思います。

関係法規・制度及び運営管理	10問
衛生管理	15問
公衆衛生・環境衛生	5問
感染症	5問
衛生管理技術	5問
保健	10問
人体の構造及び機能	5問
皮膚科学	5問
香粧品化学	5問
文化論及び美容技術理論	15問
計	55問

　本書の使い方ですが、学習される方のタイプ別に紹介しましょう。

●まじめな人向け

　学校の副読本として配付された場合は、先生の指示にしたがって使っていくとよいでしょう。自分で買った場合には、その日に学校の授業で出てきた部分について、「試験ではどう出題されるのか」のポイントを確認してください。実際に問題に取り組まなくても、それだけで随分役立つことと思います。

理想としては、毎日の授業の後、本書の「重要ポイントチェック」で
ポイントを確認し、過去問題を解いておくとよいでしょう。本書は授業
の復習用教材としても使えるのです。なお、JHEC（日本美容教育委員会）
では、『徹底マスター　美容師国家試験　過去問題集』を編集し、日本
能率協会マネジメントセンターから出版しています。

● 筆記試験の勉強が嫌いな人向け

　「実技は好きだけど筆記試験は苦手」といって、授業に身を入れて参
加しなかったような人でも、美容師になるためには、筆記試験に合格す
る必要があります。試験前になったら本書で集中して勉強することで、
出るポイントや出題傾向がわかり、短時間で対策を立てることができま
す。

● 勉強はしていたけれど復習はしていないという人向け

　直前1ヵ月前からは本格的に対策をしてほしいところですが、最初に
「模擬試験問題」を1回分やってみましょう。すると、自分が苦手な分
野がわかるので、その苦手な分野から順に勉強してみてください。一通
り勉強したところで、次の「模擬試験問題」にチャレンジしてください。
そしてまた苦手なところから復習することをお勧めします。

　どのタイプの人もこの本を活用して、美容師試験を突破してほしいと
思います。本書は、公益社団法人日本理容師美容師教育センターが発刊
する教材（以下、教科書）の要点を整理するため、また、理解度を確認
するためにも活用できます。ただし、試験突破の一番大切なポイントは、
学校での授業をきちんと聞くこと（通信課程の人であればきちんと教科
書を読むこと）です。わからないことは遠慮せずに、先生方に質問する

とよいでしょう。

　総仕上げとして、新制度に対応した本書の「模擬試験問題」には、どのタイプの人もぜひ挑戦してみてください。

　読者の皆様が美容師試験に合格なさることを、心よりお祈りしております。

JHEC 事務局長

石井　至

※本書は2024年9月1日時点の情報をもとに作成されています。
※最新の国家試験に関する情報は、公益財団法人理容師美容師試験研修センター（https://www.rbc.or.jp/index.html）の「新着情報」等でご確認ください。

C O N T E N T S

I部 合格対策

関係法規・制度及び運営管理

衛生管理

保健

香粧品化学

文化論及び美容技術理論

II部　模擬試験問題

別冊・解答と解説

◎美容師になるには

　美容師について定める美容師法という法律では、第3条第1項で「美容師試験に合格した者は、厚生労働大臣の免許を受けて美容師になることができる」と定めています。つまり、美容師試験に合格した人だけが美容師になれるのです。

◎美容師試験とは

　美容師試験は、同法第4条の2第1項で、厚生労働大臣が指定試験機関を指定して試験の事務を行わせることができると定めており、現状では、公益財団法人理容師美容師試験研修センターが唯一の指定試験機関になっています。

公益財団法人理容師美容師試験研修センター　問い合わせ先

〒151-8602　東京都渋谷区笹塚2-1-6　JMFビル笹塚01（8F）
試験部 TEL：03-5579-6875　　　　　　　または各ブロック事務所

◎受験資格

　美容師試験の受験資格は、同法第4条第3項の規定により、「都道府県知事の指定した美容師養成施設において厚生労働省令で定める期間以上美容師になるのに必要な知識及び技能を修得したものでなければ受けることができない」とされています。つまり、美容学校を卒業した人でないと受験できないことになっています。また、美容学校の期間は、美容師法施行規則第11条に定められているとおり、昼間・夜間課程は2年間、通信課程は3年間になっています。

◎試験科目

　平成31（2019）年3月に試験科目と出題数の変更が発表され、令和2（2020）年3月より新制度による試験が実施されました。

　主な変更点は、「運営管理」「文化論」が加わったことです。「運営管理」は経営、労務管理、マーケティング等の内容を含んでおり、現場の美容所の運営に必要な内容です。また、「文化論」は美容業の歴史、日本と西洋のファッション文化史、洋装を含む礼装についての内容になっています（なお、令和3（2021）年3月試験までは経過措置が取られていました）。

課目（科目）	出題数
関係法規・制度及び運営管理	10問
衛生管理	15問
保健	10問
香粧品化学	5問
文化論及び美容技術理論	15問
合計	55問

　解答時間は1時間40分で、60%以上の正答率で合格となります。ただし、いずれの課目においても無得点がないことが必要です。

◎美容師免許

　美容師試験に合格した人は、同施行規則第1条のとおりに、免許申請書に戸籍謄本（または抄本、住民票の写し）と、精神の機能の障害に関する医師の診断書をそえて、厚生労働大臣の指定登録機関に提出します。審査を通過すると、美容師名簿に登録され、指定登録機関から美容師免許証明書が交付されることになります。

◎傾向と対策、予想について

　満点を狙うわけでなければ、過去問題を勉強し、この合格対策＆模擬問題集に取り組めば、十分、合格点が取れます。集中して取り組んでほしいと思います。

　教科書の改訂を受けて、試験の内容が変わったところもありますので、自分で調べたり、先生に聞いたりして教科書に書き足すくらいの意欲で取り組むことをお勧めします。

略称について

本文では下記のように略称を用いています。

法 ………………………	美容師法
施行令 …………………	美容師法施行令（政令）
施行規則、規則…………	美容師法施行規則（厚生労働省令）
生衛法 …………………	生活衛生関係営業の運営の適正化及び振興に関する法律
医薬品医療機器等法……	医薬品、医療機器等の品質、有効性及び安全性の確保等に関する法律

I 部
合格対策

- 関係法規・制度及び運営管理
- 衛生管理
- 保健
- 香粧品化学
- 文化論及び美容技術理論

関係法規・制度及び運営管理
重要ポイント
チェック

次の設問に◯か✕で答えてください。答えは18ページ〜。

Q1. 衛生行政は、国民一般の衛生に関する一般衛生行政、学校の児童や生徒を対象とした学校保健行政、労働者を対象とした労働衛生行政の3つからなる。 ……………………（◯／✕）

Q2. すべての衛生行政は厚生労働省がつかさどる。 ……（◯／✕）

Q3. 筆記試験または実技試験のいずれかに合格した者は、引き続き行われる次回の美容師試験に限り、申請することにより合格した試験を免除される。 …………………（◯／✕）

Q4. 美容師試験を受験する際は、どこの試験地を選んでも差しつかえない。 ……………………………………………（◯／✕）

Q5. 美容師試験に合格した者には、自動的に美容師免許が与えられる。 ………………………………………………………（◯／✕）

Q6. 美容師免許の申請の際は、伝染病にかかっていないかどうかの医師の診断書も提出する。……………………（○／✕）

Q7. 一度与えられた美容師免許は、取り消されることはない。………………………………………………………………（○／✕）

Q8. 美容師免許の取消処分を受けた者は、美容師試験を再受験し合格しない限り、再び免許を受けることができない。…………………………………………………………………………………（○／✕）

Q9. 免許証を破り、汚し、または紛失した場合は、再交付の申請をすることができる。…………………………………（○／✕）

Q10. 美容師が伝染病にかかり、その就業が公衆衛生上不適当と認められるときは、その免許を取り消されることがある。…（○／✕）

Q11. 業務の停止処分を受けた美容師は、ただちに免許証を厚生労働大臣に返納しなければならない。………………（○／✕）

Q12. 美容所の開設者は管理美容師になることはできない。………………………………………………………………………（○／✕）

Q13. 管理美容師になるには、３年以上美容の業務に従事し、管理美容師試験に合格しなければならない。………………（○／✕）

Q14. 美容師である従業員の数が常時２人以上である美容所の開設者が、管理美容師を置かないときは、30万円以下の罰金に

処せられる。 ……………………………………………（○／×）

Q15. 美容師が死亡し、または失そう宣告を受けたときは、戸籍法による届出義務者が30日以内に名簿の登録消除を申請しなければならない。 ……………………………………（○／×）

Q16. 美容所の開設者は、美容所の位置、構造設備等の必要事項を都道府県知事にあらかじめ届け出なければならない。 ……
……………………………………………………………（○／×）

Q17. 美容所の開設者は、開設届の届出事項に変更が生じたときには、１ヵ月以内に都道府県知事に届け出なければならない。
……………………………………………………………（○／×）

Q18. 美容所の開設届出書には、従事する美容師の代表として管理美容師の氏名を記載し、その者が結核、皮膚疾患、その他厚生労働大臣が指定する伝染病にかかっていないかどうかの医師の診断書を添付しなければならない。 ………………（○／×）

Q19. 開設届をあらかじめ提出すれば、すぐに美容所として使用できる。 ……………………………………………………（○／×）

Q20. 美容所の清潔保持のための措置として、ふた付きの汚物箱及び毛髪箱を備えなければならない。……………………（○／×）

Q21. 美容所の開設者は、美容所内の採光、照明及び換気に十分注意しなければならないが、具体的に守るべき基準はない。 ……………………………………………………………………………（○／×）

Q22. 美容所を改築するために仮店舗を設置した場合には、一定期間であれば確認を受けなくてもその場所で美容の業を行うことができる。 ……………………………………………………（○／×）

Q23. 都道府県知事は、必要があると認められる場合には、環境衛生監視員に美容所に立入検査を行わせることができる。 ………………………………………………………………………………（○／×）

Q24. 環境衛生監視員は、美容師及び美容所開設者が適切な衛生措置を講じているかどうかを検査することができる。 ……………………………………………………………………………（○／×）

Q25. 環境衛生監視員は、その身分を示す証明書を携帯し、美容所の開設者等に提示しなければならない。 ……………（○／×）

Q26. 環境衛生監視員の立入検査を妨げたり忌避すると美容所の閉鎖が命じられる。 ……………………………………（○／×）

Q27. 美容師法で規定されている美容師に対する罰則では、刑罰の種類は罰金刑と懲役刑がある。 ……………………………（○／×）

Q28. 美容所の開設者について相続があったときは、相続人はその美容所について新たに開設の届出を行わなければならない。
....（○／×）

Q29. 美容店の数は利用する顧客の数に対してまだ足りない。........
....（○／×）

Q30. 美容室の閉店の理由は、新しい店舗ができて競争が激しいことが最大の理由である。 ....（○／×）

Q31. 美容業界にも、低価格化、チェーン店化の動きが目立っている。 ....（○／×）

Q32. 美容室の経営者は誰にとってもよい店であることを目指すべきである。 ....（○／×）

Q33. 税金を払うことは憲法で定められた国民の義務である。........
....（○／×）

Q34. 個人が経営していても、会社として経営していても、利益に対する法人税はかかる。 ....（○／×）

Q35. 雇用主は従業員の給与から源泉所得税を預かり、原則、翌月10日までに税務署に支払う。 ....（○／×）

Q36. 土地建物には固定資産税が、内装や器具備品には原則、償却資産税が課せられる。 ....（○／×）

Q37. 美容所における接客とは、施術以外の顧客への対応である。
……………………………………………………………………（○／×）

Q38. 接客は顧客の前でよい対応をすることであり、準備や計画などは接客の活動には含まれない。 ……………………………（○／×）

Q39. 何がよい接客かはすべての美容所に共通している。（○／×）

Q40. 笑顔やあいさつ、言葉遣いは、社会人の良識として身に付けておくべきである。 ……………………………………………（○／×）

関係法規・制度及び運営管理

重要ポイントチェック
答えと基本ポイント整理

●答え●

Q1. ［○］ ……… そのとおり。

Q2. ［✕］ ……… 一般衛生行政と労働衛生行政は厚生労働省がつかさどるが、学校保健行政は文部科学省がつかさどる。

Q3. ［○］ ……… 施行規則第13条第1項にその定めがある。

Q4. ［○］ ……… 試験地は本籍、住所、養成施設の所在地等に関係なく選ぶことができる。

Q5. ［✕］ ……… 美容師免許の交付を受けるには、試験に合格した後に免許の申請を行い、美容師名簿に登録されなければならない（法第5条の2第1項）。

Q6. ［✕］ ……… 免許の申請は、所定の様式の免許申請書とともに、①戸籍謄本もしくは戸籍抄本、または住民票（外国人は外国人登録証明書）と、②精神の機能の障害に関する医師の診断書を提出する

（施行規則第１条）。

Q7. 　[×]　……… 次の場合には取り消されることもある。①心身の障害により美容師の業務を適正に行うことができない者として厚生労働省令で定めるもの（施行規則第１条の２では、「精神の機能の障害により美容師の業務を適正に行うに当たって必要な認知、判断及び意思疎通を適切に行うことができない者」とする）（法第10条第１項）、②業務停止期間中に美容を業とした場合（法第10条第３項）。

なお、業務停止処分は次の場合になされる（法第10条第２項）。①美容所以外の場所で美容の業を行った場合（法第７条違反）、②法定の衛生措置を講じなかった場合（法第８条違反）、③美容師が伝染性の疾病にかかり公衆衛生上就業が不適当と認められる場合。

Q8. 　[×]　……… 取消処分を受けても、原因の疾病が治った場合や改悛（かいしゅん）の情が顕著であるときは再免許を与えられる場合があるので（法第10条第４項）、美容師試験を再受験する必要はない。

Q9. 　[○]　……… 所定の申請書を提出すればよい（施行規則第６条第２項）。ただし、「破り、又は汚した」場合は、申請書にその免許証も添付しなければならない（施行規則第６条第４項）。また、紛失に

ともない再交付を受けたのちに紛失した免許証を発見したときは、それを5日以内に「厚生労働大臣に返納」しなければならない（施行規則第6条第5項）。

Q10. ［✗］……… 美容師が伝染性の疾病にかかり、その就業が公衆衛生上不適当と認められるときは、期間を定めてその業務を停止されることがある（法第10条第2項）が、免許自体が取り消されることはない。

Q11. ［✗］……… 免許証を厚生労働大臣に返納しなければならないのは、免許の取消処分のときである。業務の停止処分の場合は、免許証を都道府県知事または保健所を設置する市の市長・特別区の区長に提出することになる（施行規則第7条第3項）。

Q12. ［✗］……… 美容所の開設者であっても、条件を満たせば管理美容師になれる（法第12条の3第1項）。

Q13. ［✗］……… 管理美容師になるには、①3年以上美容の業務に従事し、②都道府県知事が指定した講習会の課程を修了することが条件であり（法第12条の3第2項）、管理美容師試験というものはない。

Q14. ［✗］……… 美容師である従業員の数が常時2人以上である美容所の開設者が、管理美容師を置かないとき

は、法第15条第1項により美容所の閉鎖を命じられる場合がある。

Q15. [○] ……… 施行規則第4条第2項にその定めがある。また、消除を申請する人は、同じく30日以内に免許証を厚生労働大臣に返納しなければならない（施行規則第7条第1項）。

Q16. [○] ……… 開設前に届け出ることが必要である（法第11条第1項）。

Q17. [×] ……… 届出は「すみやかに」行わなければならない（法第11条第2項）。

Q18. [×] ……… 開設届には、従事するすべての美容師の氏名と登録番号を記載する必要があり（施行規則第19条第1項第5号）、診断書もすべての美容師について必要である（施行規則第19条第2項）。

Q19. [×] ……… 届出の後、その美容所の衛生措置について検査・確認を受けなければ使用できない（法第12条）。

Q20. [○] ……… 施行規則第26条第3号にその定めがある。その他に講じなければならない具体的措置として、①床および腰板にはコンクリート、タイル、

リノリュームまたは板等不浸透性材料を使用すること、②洗場は流水装置とすることが定められている。

Q21. [✕] ……… 施行規則第27条により、①採光・照明については、美容師が美容のための直接の作業を行う場合の作業面の照度を100ルクス以上とすること、②換気については、美容所内の空気1リットル中の炭酸ガスの量を5立方センチメートル以下に保つことが定められている。

Q22. [✕] ……… 仮店舗を設置する場合は、開設届の届出事項の変更届を提出して都道府県知事の検査確認を受けなければその施設を使用して美容の業を行うことはできない。

Q23. [◯] ……… 法第14条第1項にその定めがある。

Q24. [◯] ……… 法第14条第1項の規定によりその権限が認められている。なお、検査できる内容は設問中の項目に限られており、犯罪捜査のため等にその権限を発動することはできない（法第14条第2項において準用する法第4条の13第3項）。

Q25. [◯] ……… 法第14条第2項において準用する法第4条の13第2項による。

Q26. [×] ……… 立入検査を妨げたり忌避すると30万円以下の罰金に処せられることになる（法第18条第4号）。

Q27. [×] ……… 罰金刑だけである。具体的には、法第18条により、①美容師以外の者が美容を業とした場合（法第6条違反）、②美容所開設・変更の届出をせず、または虚偽の届出をした場合（法第11条違反）、③美容所開設の際の検査確認を受けずに美容所を使用した場合（法第12条違反）、④環境衛生監視員の検査を拒んだり、妨げたり、忌避した場合（法第14条第1項違反）、⑤美容所の閉鎖命令に違反した場合（法第15条違反）は、30万円以下の罰金に処せられる。

Q28. [×] ……… 法第12条の2によれば、開設者の地位を承継した者は、遅滞なく承継した事実を都道府県知事に届出をすればよく、新たに開設の届出を行う必要はない。

Q29. [×] ……… 美容店数は利用する顧客の数に対して十分すぎるほど存在し、飽和の状態にある。

Q30. [×] ……… 閉店の最大の理由は高齢化・後継者がいないという理由である。

Q31. [○] ……… そのとおり。

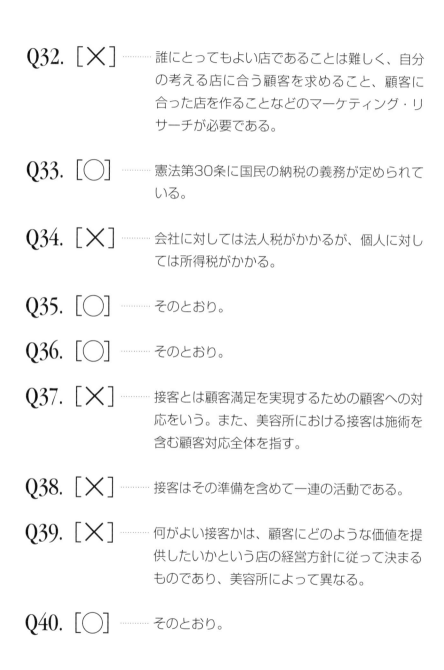

Q32. [×] ……… 誰にとってもよい店であることは難しく、自分
の考える店に合う顧客を求めること、顧客に
合った店を作ることなどのマーケティング・リ
サーチが必要である。

Q33. [○] ……… 憲法第30条に国民の納税の義務が定められて
いる。

Q34. [×] ……… 会社に対しては法人税がかかるが、個人に対し
ては所得税がかかる。

Q35. [○] ……… そのとおり。

Q36. [○] ……… そのとおり。

Q37. [×] ……… 接客とは顧客満足を実現するための顧客への対
応をいう。また、美容所における接客は施術を
含む顧客対応全体を指す。

Q38. [×] ……… 接客はその準備を含めて一連の活動である。

Q39. [×] ……… 何がよい接客かは、顧客にどのような価値を提
供したいかという店の経営方針に従って決まる
ものであり、美容所によって異なる。

Q40. [○] ……… そのとおり。

衛生管理

重要ポイント
チェック

次の設問に◯か✕で答えてください。答えは31ページ〜。

Q1. 出生率は人口1,000人に対する出生数の割合であり、1950年には28近くあった数値が、2015年には8.0まで低下した。 ………………………………（◯／✕）

Q2. 人口の高齢化に伴い、1980年以降、粗死亡率も年齢調整死亡率も増加している。 ……………………………（◯／✕）

Q3. 生活習慣病とはがん、脳卒中、心臓病等の食習慣、運動習慣、喫煙、飲酒等が要因となって発症する病気であるが、日本では戦後から減少の傾向にある。 ……………（◯／✕）

Q4. 環境衛生上のカビや害虫による被害は、夏に限定されている。 ………………………………………………（◯／✕）

Q5. 結核の予防接種はツベルクリンである。 ……（◯／✕）

Q6. 上水の浄水はろ過によって細菌の99％は除去されるが、完全に細菌を除去し配水中の汚染を防ぐために酸素（O_2）が加えられる。 ………………………………………………（○／✕）

Q7. 季節性インフルエンザの病原体のインフルエンザウイルスは、唾や痰等の飛沫からのみならず、患者の分泌物に汚染された器物からも感染する。 …………………………（○／✕）

Q8. 細菌を病原体とする感染症にはコレラ、結核、B型肝炎、エイズなどがある。 …………………………………………（○／✕）

Q9. ノミによる吸血はかゆみを伴うが、感染症を媒介するおそれはない。 ……………………………………………………（○／✕）

Q10. 呼吸器系感染症にはインフルエンザ、ジフテリア、コレラ、麻しん、百日せき等の急性感染症および結核などがある。 …
…………………………………………………………（○／✕）

Q11. 細菌の大きさの例ではトラコーマクラミジアが0.3μm、ウイルスの大きさの例ではインフルエンザウイルスが115μmである。 ………………………………………………………（○／✕）

Q12. 細菌の成分の80％は水分であり、その他はすべて糖質である。 ………………………………………………………（○／✕）

Q13. 細菌の芽胞は熱や乾燥に対して抵抗が強く、100℃の加熱にも長時間耐えることができる。 ………………（○／✕）

Q14. ウイルスは、生体細胞の外に存在するときは増殖性がない。
……………………………………………………………………（○／×）

Q15. 虚血性心疾患には、心臓に栄養を補給する冠状動脈の硬化や異常収縮等によって血液の流れが悪くなって起こる心筋梗塞と、冠状動脈に血液のかたまり等がつまり、心筋への栄養補給が妨げられて起こる狭心症とがある。……………（○／×）

Q16. 蚊は、メスがヒトや動物から吸血し、感染症を媒介するおそれがある。 ……………………………………………（○／×）

Q17. 後天性免疫不全症候群（エイズ）は、ウイルスを病原体とした感染症法の四類感染症で、潜伏期間は5～7日である。……
……………………………………………………………………（○／×）

Q18. 季節性インフルエンザは一般的に秋から冬にかけて流行するが、夏に流行することもめずらしくない。 ……………（○／×）

Q19. がんの初期には自覚症状がない場合が多い。…………（○／×）

Q20. 日本の2018年のがんの部位別死亡状況をみると、男女ともトップは胃がんである。 ……………………………（○／×）

Q21. 日本の2018年の男女合計のがん部位別死亡率トップは大腸がんである。 ……………………………………（○／×）

Q22. くも膜下出血は、高血圧や動脈硬化等の要因に過労、精神不安等が加わると生じやすく、多くの場合、重い意識障害や半身まひ等が起こる。 ……………………………………（○／✕）

Q23. 美容所では、室内空気中の二酸化炭素の濃度は規定されていない。 ………………………………………………………（○／✕）

Q24. 「2016年全国たばこ喫煙者率調査」によると、近年、女性の喫煙者率は全体として上昇している。 ………………（○／✕）

Q25. アルコール消費量の増加は、アルコール依存症などの健康障害だけでなく、社会問題にも関係する。 ………………（○／✕）

Q26. 浮遊粒子状物質とは、大気中に浮遊する粒子状物質で、粒径が0.1～0.5μmのものをいう。 ………………………（○／✕）

Q27. 快適と感じる気温は、温度だけでなく湿度や風の影響を受けており、風速1メートル／秒で3℃低く感じる。……（○／✕）

Q28. 食中毒のうち最も多いのは細菌性食中毒で、生菌の感染、増殖により急性の胃腸炎症状を起こす感染型と、毒性のある化学物質が混入して起こる毒素型がある。 ………………（○／✕）

Q29. 人間に有益にはたらく微生物の例として、麹カビや青カビがある。 ………………………………………………………（○／✕）

Q30. 免疫とは生まれながらに持っているもので、感染症にかからない、あるいは、かかりにくい性質のことである。…（○／×）

Q31. 感染症のうち、病原体に汚染された水により感染する場合は、水系感染といわれる。……………………………（○／×）

Q32. 破傷風は病原体を保有する動物から感染する。………（○／×）

Q33. 媒介動物感染には狂犬病、ペスト、日本脳炎等がある。………
……………………………………………………………（○／×）

Q34. 日本の結核は、罹患率・死亡率が著しく改善され、現在では新たに登録される患者は年間4,000人台、結核による死亡率は1にとどまっている。…………………………（○／×）

Q35. 消毒とは、汚染されているものから病原微生物を殺滅するか、または、取り除き感染力をなくすことをいう。………
……………………………………………………………（○／×）

Q36. 紫外線消毒は、1平方センチメートルあたり40マイクロワット以上の紫外線を20分以上照射することになっている。……………………………………………………（○／×）

Q37. 紫外線消毒では直接照射された部分のみ強い作用を受け、物体の表面だけでその深部や陰の部分の消毒ができない。また、直接照射を受けると、目やその他の皮膚、粘膜に有害等の短所もある。……………………………………………（○／×）

Q38. かみそりおよび血液が付着している、または疑いのある器具以外の器具の煮沸消毒は、沸騰後20分間以上の煮沸を必要とする。また、エタノール消毒でエタノール水溶液を含ませた綿もしくはガーゼで器具表面を拭いてもよい。……（○／×）

Q39. 消毒液の多くは、薄めた液を長い間保存したのちに使うのは適当ではない。………………………………………………（○／×）

Q40. 消毒法の選定にあたって目安となるのは、①消毒の効果が確実であること、②短時間に消毒されること、③簡単に安くできること、④消毒する物件に悪臭を残さないこと、⑤人畜に対して毒性の低いものであること等である。…………（○／×）

Q41. 消毒における注意として美容師法施行規則を守ることはもちろん、皮膚に接する器具、布片の消毒および清潔を保持しなければならず、一度作った消毒薬は同じものを使い続けたほうがよい。………………………………………………（○／×）

Q42. 皮膚は生きている組織であるため、手指の消毒の際には皮膚刺激の少ない消毒薬を選ぶべきである。………………（○／×）

Q43. クッションブラシの消毒には、紫外線消毒が適している。…
………………………………………………………（○／×）

重要ポイントチェック
答えと基本ポイント整理

●答え●

Q1. [○]……… 出生率だけでなく、合計特殊出生率もよく出題される。合計特殊出生率とは、一人の女性が一生の間に産む子どもの数の割合であり、第1次ベビーブーム期には4以上あった数値が、2015年には1.46にまで低下した。

Q2. [✕]……… 粗死亡率は増加しているが、年齢調整死亡率は低下し続けている。なお、粗死亡率は人口1,000人に対する死亡者数の割合をいい、年齢調整死亡率は人口の年齢構成の差を取り除いた死亡率をいう。

Q3. [✕]……… 戦後の環境、食生活や生活様式の変化にともない生活習慣病は増加している。今後の人口の高齢化にむけて、正しい生活習慣の実践による予防対策、定期的な健康診断での早期発見が望まれる。

Q4. [×] ········· カビや害虫による被害は、一般に夏に多いが、暖房の普及とともに1年中みられるようになっている。

Q5. [×] ········· 結核の予防接種はBCGである。

Q6. [×] ········· 完全に細菌を除去し、配水中の汚染を防ぐために加えられるのは、塩素（Cl_2）である。

Q7. [○] ········· 季節性インフルエンザは一般的に秋から冬、春先にかけて流行する。激しい流行を起こすこともあるため、十分な警戒が必要となる。潜伏期間は1～3日で、通常は1週間で回復するが、肺炎を併発することもある。

Q8. [×] ········· B型肝炎、エイズの病原体はウイルスである。
　　　　　　＊細菌を病原体とする感染症
　　　　　　　コレラ、細菌性赤痢、結核、ペスト、ジフテリア、百日せき、破傷風、腸チフス等
　　　　　　＊ウイルスを病原体とする感染症
　　　　　　　インフルエンザ、B型肝炎、麻しん、後天性免疫不全症候群（エイズ）、ラッサ熱、急性灰白髄炎（ポリオ）、流行性耳下腺炎（おたふくかぜ）等

Q9. [×] ········· ノミは発疹熱やペストを媒介する。

Q10. [✕] ……… コレラは消化器系感染症である。そのほかは正しい。

Q11. [✕] ……… 前半は正しい。インフルエンザウイルスの大きさは115ナノメートルである。

Q12. [✕] ……… 前半は正しい。細菌の成分は、水分（約80％）、タンパク質（約10％）、糖質・脂質等（約6％）、RNA・DNA（約4％）の割合である。

Q13. [◯] ……… 芽胞とは細胞内に作られる耐久形のことである。炭疽菌、破傷風菌等は環境が悪化すると芽胞を作り、休眠の状態になる。環境が好転すると発育、増殖を再開する。

Q14. [◯] ……… そのとおり。

Q15. [✕] ……… 前半の説明が狭心症、後半が心筋梗塞である。虚血性心疾患は年々増加の傾向にあり、重大な問題となっている。日本の食生活の変化、特に動物性脂肪や果糖の過剰摂取によるコレステロールや中性脂肪の増加が原因とされている。また、運動不足、精神的ストレス、喫煙、高血圧、肥満等も大きな要因としてあげられる。

Q16. [◯] ……… 蚊は、マラリアなどの感染症を媒介するおそれがある。

Q17. ［✕］ ……… 感染症法では五類感染症であり、潜伏期間は数
カ月から約5年である。

Q18. ［✕］ ……… 季節性インフルエンザは秋から増え冬から春先
に流行するが、夏に流行することはめずらし
い。1〜3日の潜伏期の後、発熱、頭痛、喉の
痛み、せきが同時に出ることが多い。

Q19. ［○］ ……… そのとおり。

Q20. ［✕］ ……… 男性は肺がん、胃がん、結腸がんと直腸がんを
あわせた大腸がんの順に死亡者数が多い。女性
は大腸がん、肺がん、胃がんが上位を占めてい
る。

Q21. ［✕］ ……… 大腸がんというのは、結腸がんと直腸がんの総
称（あわせたもの）で、女性では大腸がんは部
位別死亡率1位であるが、男性だけ、あるいは
男女合計では、肺がんが1位である。大腸がん
という総称を使わずに、結腸がん、直腸がんと
分けた分類での男女合計でも、肺がんが1位に
なる。

Q22. ［✕］ ……… くも膜下出血ではなく脳出血の説明である。く
も膜下出血は脳の表面のくも膜の動脈が破れて
出血する急性のもので、比較的若い層にも起こ
り、激しい頭痛があり、意識が混濁したり意識

不明になったりする。

Q23. [×] ……… 施行規則第27条第2号に、「美容所内の空気一リットル中の炭酸ガスの量を五立方センチメートル以下に保つこと」と定められている。

Q24. [×] ……… 近年、20歳代、30歳代の女性の喫煙者率は上昇しているが、女性全体としては横ばい傾向である。

Q25. [○] ……… アルコール依存症は、アルコール精神病などの健康障害や、肝疾患などの身体疾患だけでなく、犯罪、家庭崩壊などの社会問題にも関係する。

Q26. [×] ……… 浮遊粒子状物質は、粒径が10μm^{マイクロメートル}以下のものをいう。

Q27. [×] ……… 風速1メートル／秒につきおよそ2℃低く感じる。なお、夏の蒸し暑さ等を表す不快指数は気温と湿度から計算しており、風は考慮されていない。

Q28. [×] ……… 前半は正しい。毒素型とは、細菌が増殖して、その代謝産物である毒素を産生することにより影響を受ける中毒のこと。
＊感染型 ……… 腸炎ビブリオ菌（海産物やその加

工品に含まれる）、サルモネラ菌
（肉や汚染された生卵が感染源と
なる）

＊毒素型……ブドウ球菌、ボツリヌス菌

Q29. ［〇］……… 麹カビは味噌、醤油、酒などの醸造に利用され、青カビからはペニシリンが作られる。

Q30. ［✕］……… 免疫には、先天（自然）免疫と後天（獲得）免疫とがあり、問題の説明は先天免疫のみの説明である。後天免疫には能動免疫と受動免疫がある。

Q31. ［〇］……… 病原体に汚染された飲食物により、コレラ、赤痢、腸チフスなどに感染する場合があり、特に水が汚染されて感染する場合は、水系感染といわれる。

Q32. ［✕］……… 破傷風は土壌が感染源。病原体を保有する土壌が感染症の感染源となることがある。

Q33. ［〇］……… ペストはノミ、日本脳炎は蚊によって感染する。

Q34. ［✕］……… 2019年の新登録患者数は1万5,590人、2018年の死亡率は1.8であり、改善されたとはいえ、患者数・死亡率は依然として高い。結核は飛沫感染が多いので警戒が必要である。な

お、死亡率は人口10万人対の数字（人数）で
ある。

Q35. ［○］ ……… 消毒することによって感染を防ぐことができ
る。

Q36. ［×］ ……… １平方センチメートルあたり85マイクロワッ
ト以上の紫外線が必要である。

Q37. ［○］ ……… 油などの汚れがあると作用が非常に弱くなるの
で、洗浄してから照射する。

Q38. ［×］ ……… 煮沸消毒は沸騰後２分間以上である。後半は正
しい。消毒方法は施行規則第25条に定められ
ている。消毒の時間は紫外線消毒の20分間以
上、煮沸消毒の２分間以上を除き、ほぼ10分
間以上となっている。

Q39. ［○］ ……… 薄めた消毒剤は、保存しているうちに日光や熱
で分解されることがある。

Q40. ［○］ ……… 問題文に列挙されている以外に、消毒法の選定
にあたって目安となるのは、いつでもどこでも
実行できる方法であること、表面だけでなく必
要であれば内部も消毒できること等がある。

Q41. ［×］ ……… 皮膚に接する器具、布片だけでなく、美容所の

建物や、あらゆる器具、機械、布片などの清潔保持が必要である。消毒薬については、消毒用エタノールは原則として7日以内に取り替え、それ以外の希釈した消毒薬は毎日取り替える。

Q42. ［○］ ……… そのとおり。

Q43. ［○］ ……… 毛が密なブラシの消毒には消毒薬使用液につけることが適しているが、クッションブラシのように毛の植え方がまばらなものには、紫外線消毒が適している。

保健

重要ポイント チェック

次の設問に○か✕で答えてください。答えは44ページ～。

Q1. 体の左右両方を等しく半分に分ける線または面のことを正中というが、正中線を挟んで右側・左側というのは、自分の側から見た言い方である。 ……………………………………（○／✕）

Q2. 新生児の頭頂部は、心臓から伝わる鼓動により波打っているが、この部分を肋間とよぶ。 ………………………………（○／✕）

Q3. 人体の骨格は大別すると、頭蓋、脊柱、上肢骨、下肢骨に分けられる。 ……………………………………………………（○／✕）

Q4. 神経系は中枢神経と末梢神経に分けられ、中枢神経はさらに脳と脊髄に分けられる。 ……………………………………（○／✕）

Q5. 鼻背とは、前頭部から続く鼻の根元のことをいう。 …………………………………………………………………………………（○／✕）

Q6. 人間の目はカメラにたとえることができ、レンズに相当するのが水晶体である。 ……………………………………（○／✕）

Q7. 延髄は言語や聴覚の中枢である。 ……………（○／✕）

Q8. 耳は耳介・外耳・内耳の３部分に分かれており、聴覚や平衡感覚を受けもつ蝸牛や三半規管は内耳にある。 ……（○／✕）

Q9. 胴骨には椎骨、肋骨、胸骨があり、椎骨は脊柱を形成している。 ……………………………………………（○／✕）

Q10. 頭部には約30の筋があり、その性質から表情筋と咀嚼筋の２つの群に分けられる。 …………………………（○／✕）

Q11. 呼吸運動にたずさわる筋肉としては、外肋間筋、内肋間筋、三角筋などがある。 ………………………………（○／✕）

Q12. 静脈から戻ってきた血液は炭酸ガスを含んでいるが、心臓を通過する際に炭酸ガスと酸素が交換され、再び動脈血として体のすみずみに供給される。 …………………（○／✕）

Q13. 最高血圧は心臓の拡張期の血圧であり、最低血圧は心臓の収縮期の血圧である。 ………………………………（○／✕）

Q14. 血小板は赤血球の10分の１から８分の１の大きさの円盤状の物質である。 ……………………………………（○／✕）

Q15. 鼻からはじまり、咽頭、喉頭、気管、気管支、肺と続き横隔膜にいたるまでの空気の通り道を気道といい、気道を構成する器官を総括して呼吸器とよぶ。 ……………………（○／✕）

Q16. 肺は、左右ともに上・中・下の肺葉からなる。 ………（○／✕）

Q17. 肝臓や膵臓、唾液腺等の器官を消化腺とよぶ。 ……（○／✕）

Q18. 皮膚は外側から表皮、真皮、皮下組織の３つの層からなっており、一般的に女性の皮膚は男性より厚いが、皮下組織は女性が男性よりも薄い。 ……………………………（○／✕）

Q19. 表皮の角化細胞の一番外側にある角質層は、メラニンというタンパク質からなっている。 ……………………（○／✕）

Q20. 色素細胞は皮膚の色素であるメラニンを作る細胞で、表皮の基底細胞の間に点々と存在しており、その数は人種間や同一人種でも個人間で差がある。 ………………（○／✕）

Q21. 真皮はコラーゲンというタンパク質からできた丈夫な膠原線維が大部分を占めており、機械的外力や化学的刺激に対して強い抵抗力をもっている。 ……………………（○／✕）

Q22. 皮下脂肪は、真皮の下の皮下組織にある脂肪細胞とよばれる細胞で作り出され、その細胞内に蓄えられた脂肪のことで、量は身体の部位によって著しく異なっている。 ………（○／✕）

Q23. 人体の皮膚の表面はほとんどすべてが毛で覆われており、その数は約200万本である。 ……………………………………(○／×)

Q24. 毛には成長期、退行期、脱毛期という毛周期がある。 …………
…………………………………………………………………………(○／×)

Q25. 眉毛、鼻毛、耳毛は、高齢になるにつれて成長期が短くなる。 ……………………………………………………………(○／×)

Q26. 毛はケラチンという硫黄を含むタンパク質の一種からなる。
…………………………………………………………………………(○／×)

Q27. 脂腺は皮脂という一種のあぶらを分泌しており、その数は身体の部位によって異なる。 ……………………………(○／×)

Q28. 汗腺には、口唇の一部を除く身体のほとんどすべての皮膚に分布するアポクリン腺（大汗腺）と、外耳道や腋窩等の限られた部位にしか存在しないアポエクリン腺（小汗腺）とエクリン腺が変化したアポクリン腺の3種類がある。 ……(○／×)

Q29. 爪には成長周期がない。 …………………………………(○／×)

Q30. 皮膚の表面にある脂肪膜は弱酸性（pH4.5～6.5）で、細菌等の発育抑制・殺菌作用がある。 ……………………(○／×)

Q31. 皮膚の表面には汗と皮脂が混じり合った膜があり、これを角質層とよぶ。 …………………………………………(○／×)

Q32. 体温調節作用は、汗腺と脂腺によって行われる。……（○／×）

Q33. 日焼け止めクリームは、紫外線を吸収する成分と反射・散乱させる成分を含んでいる。……………………………（○／×）

Q34. UVAは皮膚に対する刺激が強く、急激な作用で紅斑を起こす。……………………………………………………（○／×）

Q35. あぶら性の人は、こまめに洗顔を行い、石けんでよく脂肪膜を取り除いてから、アストリンゼントローションのような化粧水を塗っておくとよい。………………………………（○／×）

Q36. 脂性のふけ症の人はシャンプーを控える。……………（○／×）

Q37. アレルギー性の化粧カブレとは、化粧品を使いはじめると直ちに起こるカブレのことをいうが、化粧品を薄めて使用することでその発症は抑えることができる。………………（○／×）

Q38. ニキビは、毛包が角質の栓でつまってアクネ桿菌や真菌などが増加し、炎症を起こしたもので、男性ホルモンの分泌が活発な人が比較的できやすい。……………………………（○／×）

Q39. 真菌による皮膚疾患で一番多いのは白癬であり、白癬菌によって起こる。………………………………………（○／×）

Q40. 頭毛が何の自覚症状もなく突然円形に脱毛する疾患を円形脱毛症といい、伝染性疾患と考えられている。…………（○／×）

●答え●

Q1. ［○］……… 見る側からは逆になるので、注意すること。

Q2. ［×］……… 新生児の頭頂部で、心臓からの鼓動により波打っている部分は、泉門とよばれる。

Q3. ［×］……… 頭蓋、脊柱(せきちゅう)、胸郭(きょうかく)、上肢骨、下肢骨に分けられる。脊柱は頸椎(けいつい)、胸椎(きょうつい)、腰椎(ようつい)、仙骨(せんこつ)、尾骨(びこつ)から、胸郭は12個の胸椎、12対の肋骨、1個の胸骨から構成されている。

Q4. ［○］……… なお、脳の下部からは脳神経という12対の末梢神経が、脊髄からは脊髄神経という31対の末梢神経が出ており、そのなかに身体のすみずみに情報を伝えたり送ったりするための神経が入っている。

Q5. ［×］……… 鼻背とは鼻すじのことであり、前頭部から続くところは鼻根という。

Q6. [○] ……… 眼瞼はカメラのキャップ、虹彩は絞り、網膜は
フィルムに相当する。

Q7. [×] ……… 延髄は呼吸や循環の中枢である。言語や聴覚の
中枢は大脳半球である。

Q8. [×] ……… 外耳・中耳・内耳からなっており、耳介は外耳
を構成するものの一つである。

Q9. [○] ……… さらに、脊柱は頸椎、胸椎、腰椎、仙骨、尾骨
から形成される。

Q10. [○] ……… 表情筋は顔面筋または皮筋ともいわれる。咀嚼
筋は表情筋よりも深い部分にある４つの筋で、
消化や構音と関係がある。

Q11. [×] ……… 呼吸運動にたずさわる筋肉には外肋間筋、内肋
間筋の他、横隔膜などがある。三角筋は上肢の
筋肉で呼吸運動には関係ない。

Q12. [×] ……… 静脈から戻ってきた血液は、右心房→右心室→
肺動脈を通って肺に運ばれ、肺で炭酸ガスと酸
素を交換して、肺静脈→左心房→左心室を通っ
て再び動脈血として体内に送られる。

Q13. [×] ……… 最高血圧とは、腕をまわりから圧迫することで
動脈が押されて血液が流れなくなったときの圧

力で、心臓の収縮期に一致する。これに対して
最低血圧は、まわりからの圧迫がなくなり抵抗
なく血液が流れたときの圧力で、心臓の拡張期
（弛緩しているとき）に一致する。

Q14. ［✕］……… 血小板は赤血球の2分の1から3分の1の大き
さで円盤状の形をしている。

Q15. ［✕］……… 横隔膜は肺の下面に接する場所にあるが呼吸器
ではなく、外肋間筋や内肋間筋とともに呼吸運
動にたずさわる筋肉の一部である。

Q16. ［✕］……… 肺は、心臓を挟んで右側には上・中・下の3つ
の肺葉があるが、左側は心臓がやや左に片寄っ
ているため肺葉は上・下2つだけになる。

Q17. ［◯］……… 腺とは生産した化学物質を分泌する器官の総称
であり、消化腺とは食物を分解する消化液を出
す器官のことをいう。

Q18. ［✕］……… 女性は一般的に男性より皮膚が薄く、皮下組織
が厚い。

Q19. ［✕］……… 角質層はケラチンというタンパク質からなって
いる。ケラチンは20〜30%程度の水分を含ん
でおり、酸やアルカリ等の化学薬品や熱、寒冷
に対して強い抵抗力をもつが、乾燥等により水

分が10%以下になると、いわゆる荒れ性のか
さついた皮膚になる。

Q20. [×] ……… 皮膚の色の白い黒いは、おもに色素細胞の中で
作られるメラニンの量の多寡によるもので、色
素細胞の数自体は、人種間でも個人間でもほぼ
同じである。

Q21. [○] ……… 膠原線維は真皮の表層では皮膚表面に対して平
行に走っており（皮膚割線）、マッサージ等は
この皮膚の割線方向に沿って行うとよい結果が
得られる。また、膠原線維の間にはエラスチン
という物質からなる弾性線維が混じって走って
おり、皮膚に弾力を与えている。

Q22. [○] ……… 皮下脂肪は外界からの機械的外力が直接内部に
及ばないようにクッションの作用をするほか、
体内の熱が外界の温度の変化によって左右され
ないようにする断熱材の役割も果たしている。

Q23. [×] ……… 毛の数は、約130〜140万本である。なお、
人体の皮膚のうち、手掌、足底、手足の指（中
節骨より末端・伸側）、口唇、陰部の一部には
毛が生えていない。

Q24. [×] ……… 毛は一定期間成長を続ける成長期と、発毛を停
止する休止期があり、その後脱毛して一定期間

が経過すると、再びそこに新しい毛を生じるという毛周期を持つ。成長期と休止期の間にある毛の成長が停止して退縮する期間を退行期とよんでいる。

Q25. ［✕］……… 眉毛、鼻毛、耳毛は、高齢になるにつれて成長期が長くなり、長い毛を生じさせる。

Q26. ［◯］……… この問題は頻出。

Q27. ［◯］……… 皮脂は毛または毛包の壁に沿って皮膚の表面に出され、皮膚や毛にあぶらを与えて滑らかにし、水分の蒸発を防ぐ役目を果たしている。この皮脂を分泌する脂腺は、頭毛の生えている部位や額、眉間、鼻翼周辺、下顎等に多く存在し、手掌と足底には存在しない。

Q28. ［✕］……… 汗腺は、口唇の一部を除く身体のほとんどすべての皮膚に分布するエクリン腺（小汗腺）と、外耳道や腋窩等の限られた部位にしか存在しないアポクリン腺（大汗腺）の2種類である。

Q29. ［◯］……… 毛の成長速度の約3分の1程度であるが、たえず成長を続けている。なお、爪の表面にできる軽い縦の溝はあまり病的な意味はないことが多く、高齢になるにつれて深くなる傾向がある。

Q30. [○] ……… この作用を皮膚の自己浄化作用という。

Q31. [×] ……… 皮膚の表面の汗と皮脂の混じり合った膜は脂肪膜（皮脂膜）または酸膜という。角質層は表皮の上部の部分をいう。

Q32. [×] ……… 汗腺と毛細血管によって行われる。周囲の温度が高い場合は、皮膚血管の拡張・発汗の増加がみられ、周囲の温度が低い場合は、皮膚血管の収縮・発汗の減少がみられる。

Q33. [○] ……… これにより、紫外線による皮膚への悪影響を少なくすることができる。

Q34. [×] ……… 紅斑を起こすのは UVB である。

Q35. [○] ……… あぶら症の人は、刺激物や糖分、脂肪分の摂取を控えめにし、油性化粧（ファンデーション等）を避けることも重要である。

Q36. [×] ……… 脂性のふけ症の人はよくシャンプーをすることが大切で、汚れが強ければ二度洗いする。乾性のふけ症の人はシャンプーをしすぎないようにし、シャンプー後は毛にリンスを用いるとよい。

Q37. [×] ……… 化粧カブレにはアレルギー性と非アレルギー性の2種類がある。アレルギー性の化粧カブレは、

はじめは特に異常はなかったのに日を置いてか
ぶれるようになるもので、その化粧品に含まれ
る抗原物質が抗体と反応して起こるため、薄め
て使用しても発症は抑えることができない。使
いはじめてすぐにかぶれるのは、化粧品に含ま
れる物質が直接皮膚を刺激することにより起こ
る非アレルギー性の化粧カブレである。

Q38. ［○］……… 男性ホルモンのアンドロゲンは脂腺のはたらき
を高めて皮脂の分泌を増加させるため、毛包に
常在し皮脂を栄養源としているアクネ桿菌等が
増殖しやすく、ニキビ発生の重要な原因とな
る。

Q39. ［○］……… 白癬は部位によって症状が異なり、シラクモ、
ゼニタムシ、ミズムシ等とよばれたりする。な
お、真菌とはカビのことであり、人に皮膚疾患
を起こさせる真菌で日常よくみられるものに
は、白癬菌のほかに癜風菌、カンジダがある。

Q40. ［✕］……… 円形脱毛症は感染することはない。原因ははっ
きりわかっておらず、再発しやすい病気ではあ
るが、気長に治療すれば大部分のものは治癒す
るようになった。

香粧品化学

重要ポイント チェック

次の設問に〇か✕で答えてください。答えは57ページ〜。

Q1. 香粧品という用語は、医薬品、医療機器等の品質、有効性及び安全性の確保等に関する法律に定められている。 ………………………………………………………………………………（〇／✕）

Q2. ほとんどの香粧品には使用期限が表示されていない。……………………………………………………………（〇／✕）

Q3. 香粧品によるトラブルで最も多いのは、アレルギーや過敏症など体質によるものである。 …………………（〇／✕）

Q4. pH（水素イオン指数）は0〜14の範囲で表され、pH＝7が中性、7より大きいと酸性が強くなり、7より小さいとアルカリ性が強くなる。 ………………………（〇／✕）

Q5. 純粋な水や中性の溶液の水素イオン濃度は、1.0×10^{-1}mol／l である。 ……………………………………………………………………（○／✕）

Q6. フェノールフタレインは、酸性や中性の溶液中では無色であるが、アルカリ性の溶液中では赤色になる。 …………（○／✕）

Q7. 塩素系薬剤の次亜塩素酸ナトリウムは、その還元作用によって殺菌や漂白をする。 …………………………………………（○／✕）

Q8. パーマネントウエーブ用剤は、還元剤を有効成分とする第1剤と、酸化剤を含有する第2剤からなる。 …………（○／✕）

Q9. 酸化剤として広く用いられる過酸化水素水は、酸性溶液では分解しにくいが、アルカリ性溶液では分解が促進されて酸化作用が強くなる。 ………………………………………………………（○／✕）

Q10. 除毛クリームに含有されているチオグリコール酸カルシウムは、酸化作用により除毛効果を高める。 …………………（○／✕）

Q11. 皮膚の表面は通常 pH4.5〜6.5の弱酸性であるが、皮膚表面にアルカリ希薄溶液を塗布すると、時間が経過しても皮膚本来の弱酸性には戻らない。 ……………………………………（○／✕）

Q12. 酸化チタンには緩和な収れん作用や消炎作用がある。 …………………………………………………………………………（○／✕）

Q13. 酸性を示す香粧品は表皮の角質層や毛を構成するケラチンを軟化させ、皮膚組織をやわらげたり、毛を膨張させる作用がある。 ……………………………………………………………（○／✕）

Q14. 香粧品に広く用いられる流動パラフィンやワセリンは植物性油脂である。 …………………………………………………（○／✕）

Q15. 油脂は空気中の酸素によって酸化されることはないが、加水分解されて酸敗しやすい。 ……………………………（○／✕）

Q16. ロウは、一般の油脂よりも融点が低く固体のものが多い。 ……………………………………………………………（○／✕）

Q17. 香粧品の油性原料となる炭化水素には鉱物性のものと動物性のものがあるが、鉱物性の炭化水素のうち、ワセリンはロウ状の固体である。 ……………………………………（○／✕）

Q18. 植物性油脂は、乾性油と不乾性油に分類されるが、香粧品には不乾性油が主として用いられる。 …………………（○／✕）

Q19. 両性界面活性剤は適度の殺菌力のほかに洗浄力もあるが、皮膚に対する刺激性が強いため、香粧品には向いていない。 ……………………………………………………………（○／✕）

Q20. 陽イオン界面活性剤の代表的なものは石けんで、一般に洗浄剤として広く使われるほか、乳化剤としても用いられる。 ……………………………………………………………（○／✕）

Q21. 非イオン界面活性剤は界面活性剤の中でも安定性が悪く、洗浄剤や香粧品の乳化剤には適さない。 ……………………（○／✕）

Q22. 水と油は互いに混じり合わず二層に分離するが、これに乳化剤を加えて混ぜると白く乳化した均一な分散状態が得られる。この状態をサスペンションという。 ……………（○／✕）

Q23. 香粧品に用いられる色素である β – カロチンはほとんどが天然でベニバナから得られる。 ……………………（○／✕）

Q24. 亜鉛華は被覆力が白色顔料の中で最も大きく、皮膚によく付着する。 …………………………………………………（○／✕）

Q25. タルクは薄片状雲母に二酸化チタンの薄膜を被覆処理したもので、光線によっては真珠のような光沢を生じる顔料である。 ………………………………………………………（○／✕）

Q26. 頭毛を構成するケラチンは、弾力性に富む繊維状の高タンパク質であり、その分子構造中に多くのイオン結合を有していることが特徴で、この結合の切断と再結合をアルカリと酸によって行う技術がパーマネントウエーブである。……（○／✕）

Q27. 白色顔料の酸化亜鉛にカオリンとベンガラを加えた化粧品をカラミンローションといい、冬季の乾燥した皮膚に潤いを与える保湿効果がある。 ……………………………………（○／✕）

Q28. 気体のなかに固体や液体の微粒子が分散している状態のことをエーロゾル（煙霧質）といい、ヘアスプレーやムースなどエーロゾル状態で使用する製品をエアゾール製品という。 ……………………………………………………………（○／✕）

Q29. エアゾール製品の噴射剤に用いられる液化ガスは、以前は液化石油ガスが広く用いられていたが、現在では使用が規制されているため、フロンガスが広く用いられている。 …………………………………………………………（○／✕）

Q30. 紫外線吸収剤は日焼け止め用や日焼け用のサンケア製品にのみ含まれるもので、それ以外の香粧品には品質劣化を招くおそれがあるため含まれていない。 ……………………（○／✕）

Q31. ジンクピリチオンは毛髪などに残るアルカリ分などを除去して、毛髪に光沢や柔軟性を与える目的で用いられる。…………………………………………………………………（○／✕）

Q32. ベタイン型の両性界面活性剤は目にしみないシャンプー剤等に含まれており、他の界面活性剤に比べ皮膚刺激性が低い。……………………………………………………………（○／✕）

Q33. 一般にアミノ酸石けんなどといわれる低刺激性の洗浄剤は、N – アシルグルタミン酸のアルカリ塩などのアミノ酸系界面活性剤を主成分とする洗浄剤で、水溶液は弱アルカリ性を示す。 ………………………………………………（○／✕）

Q34. 収れん性化粧水はベルツ水といわれ、脂性の皮膚や夏期の化粧水に適している。 ……………………………………………（○／✕）

Q35. パーマネントウエーブ用剤の第1剤は、通常、比較的強いアルカリ性になっている。 ……………………………………（○／✕）

Q36. ヘアマニキュア等の酸性染料は、1回の洗髪では落ちず、2週間から1ヵ月程度染毛効果が持続する。 ……………（○／✕）

Q37. ヘアブリーチ剤は化粧品として扱われる。 ……………（○／✕）

香粧品化学

重要ポイントチェック
答えと基本ポイント整理

●答え●

Q1. [×] ……… 医薬品、医療機器等の品質、有効性及び安全性の確保等に関する法律（医薬品医療機器等法）には、香粧品という用語はない。香粧品は、芳香製品と医薬部外品も含めた化粧品の総称である。

Q2. [○] ……… 香粧品のうち、製造後、通常の保存条件で3年以内に性状、品質が損なわれるものは使用期限を表示する義務があるが、ほとんどの香粧品は、開封前であれば3年以上安定しているため、使用期限を表示していない。

Q3. [○] ……… アレルギー体質や過敏症の人は、接触皮膚炎を引き起こすことがあるため、注意が必要である。

Q4. [×] ……… pHが7より大きいとアルカリ性が強く、7より小さいと酸性が強い。

Q5. ［✕］……… 純粋な水や中性の溶液の水素イオン濃度は、
1.0×10⁻⁷mol／lである。

Q6. ［○］……… そのとおり。

Q7. ［✕］……… 酸化作用によって殺菌したり漂白したりする。
次亜塩素酸ナトリウム等の塩素系薬剤は、白地
のタオルや布片等の消毒に適している。

Q8. ［○］……… 第1剤の還元剤には、チオグリコール酸やシス
テインまたはシステインの塩類等が、第2剤の
酸化剤には臭素酸ナトリウム、過酸化水素水等
が配合されている。

Q9. ［○］……… ブリーチ剤や酸化染毛剤に用いられる酸化剤
は、おもに5〜6％程度の過酸化水素水であ
り、アルカリ性溶液中では酸化作用が強くなる。

Q10. ［✕］……… チオグリコール酸カルシウムは還元剤なので、
還元作用により効果を高める。

Q11. ［✕］……… 前半は正しい。皮膚にはアルカリ中和能がある
ので、皮膚の表面のアルカリの希薄溶液剤は時
間が経過すると皮膚本来の弱酸性に戻る。

Q12. ［✕］……… 収れん作用や消炎作用があるのは、パラフェ
ノールスルホン酸亜鉛などの酸化亜鉛で、酸化

チタンではない。

Q13. ［✕］ ……… アルカリ性を示す香粧品は角質層や構成するケラチンを軟化させ、皮膚組織をやわらかくする効果がある。一方、肌と同じ弱酸性にするために配合されているのが、クエン酸等のpH調整剤である。

Q14. ［✕］ ……… 流動パラフィンやワセリンは、石油から得られる炭化水素であり、鉱物油といわれる。多数の炭素原子からなる長い鎖状構造を持つ高級炭化水素である。

Q15. ［✕］ ……… 油脂は空気中の酸素によって酸化される。そのため油脂を原料とする香粧品には酸化防止剤などが配合される。

Q16. ［✕］ ……… ロウは一般の油脂よりも融点が高いため、固体のものが多い。

Q17. ［✕］ ……… 鉱物性の炭化水素のうち、ロウ状の固体のものをパラフィンといい、そのほかに粘性のある液状の流動パラフィンと、その中間的なワセリンがある。

Q18. ［◯］ ……… そのとおり。

Q19. ［✕］ ……… 両性界面活性剤は、酸性水溶液中では陽イオン
に、アルカリ性水溶液中では陰イオンになる。
皮膚に対する刺激が弱く、シャンプー剤やヘア
リンス剤等に用いられている。また、殺菌力の
あるものは施行規則に定める消毒薬としても用
いられる。

Q20. ［✕］ ……… 陽イオン界面活性剤が含有されているのは、逆
性石けんであり、陰イオン界面活性剤が含有さ
れているのが、洗浄剤や乳化剤に広く使用され
ている石けんである。陽イオン界面活性剤は、
溶液中で電離して生じる陽イオンの部分が界面
活性を示すもので、カチオン界面活性剤ともい
う。陰イオン界面活性剤は、溶液中で電離して
生じる陰イオンの部分が界面活性を示すもの
で、アニオン界面活性剤ともいう。

Q21. ［✕］ ……… 非イオン界面活性剤は界面活性剤のなかでも安
定性がよいので、洗浄剤のほか、香粧品の乳化
剤としての用途も広い。

Q22. ［✕］ ……… このような状態をエマルジョン（乳濁液）とい
う。サスペンション（懸濁液）とは、液体中に
固体の微粒子が分散している状態のことをいう。

Q23. ［✕］ ……… β – カロチンはニンジンなどから得られる。ベ
ニバナから得られるのはベニバナ色素である。

Q24. [×] …… 白色顔料の中で被覆力が最も大きいのは酸化チタンで、亜鉛華（酸化亜鉛の別名）は被覆力や付着力では酸化チタンに劣る。

Q25. [×] …… 雲雨チタンというパール顔料の一種についての説明である。タルクは、天然の滑石を粉末状にしたもので体質顔料の一種である。

Q26. [×] …… イオン結合ではなくシスチン結合である。パーマネントウエーブとは、シスチン結合の切断と再結合を還元剤と酸化剤を用いて行う技術であり、一般に還元剤を有効成分とする第1剤と酸化剤を含有する第2剤を使用する。

Q27. [×] …… カラミンローションは、日焼けした肌のほてりをおさえ、脂性肌の化粧水等に用いられる。使用感がさらりとして収れん効果があるため、夏用化粧水にも適している。

Q28. [○] …… 現在は噴射剤として使われていたフロンガスに代わり、液化石油ガスやジメチルエーテル等が使われている。

Q29. [×] …… 逆である。以前は、フロンガスが広く用いられていたが、現在は液化石油ガスやジメチルエーテルが用いられる。

Q30. ［✕］ ……… 紫外線吸収剤は、香粧品の着色の脱色や品質劣化を防止する効果があるので、ほとんどの香粧品に含まれている。

Q31. ［✕］ ……… ジンクピリチオンはふけやかゆみ防止のために配合される。

Q32. ［○］ ……… そのとおり。

Q33. ［✕］ ……… アミノ酸石けんの水溶液は弱酸性を示す。

Q34. ［✕］ ……… 設問はアストリンゼントのものである。ベルツ水はアルカリ性化粧水で角質柔軟用として用いられる。

Q35. ［○］ ……… パーマネントウエーブではケラチンの架橋構造を還元剤で切断するが、アルカリ性が強いほど還元剤は強く作用する。

Q36. ［○］ ……… 酸性染毛料ともよばれる酸性染料を用いた染毛料はベンジルアルコールなどの溶剤が配合されることで、毛小皮だけでなく毛皮質の一部まで浸透する。

Q37. ［✕］ ……… ヘアブリーチ剤や酸化染毛剤は医薬部外品として扱われる。

重要ポイント
チェック

次の設問に○か×で答えてください。答えは71ページ〜。

Q1. 日清戦争（1894年）頃になると兵士たちの勇ましさが好まれて、極端に短い丸刈が流行した。⋯⋯⋯⋯⋯（○／×）

Q2. 日清戦争後には、前頭部の毛を短めに、後頭部の特に襟元の毛をクリッパーで短く刈るチャン刈が大流行した。⋯⋯⋯⋯⋯
⋯⋯⋯⋯⋯⋯⋯⋯⋯⋯⋯⋯⋯⋯⋯⋯⋯⋯⋯⋯⋯⋯（○／×）

Q3. 日清戦争後に流行した角刈は、頭頂部の頭髪を水平に刈り、周囲の頭髪を垂直に刈るスタイルである。⋯⋯⋯⋯（○／×）

Q4. 日清戦争後には、丸刈と角刈を折衷したフランス式のブロースカットも流行した。⋯⋯⋯⋯⋯⋯⋯⋯⋯⋯⋯⋯⋯（○／×）

Q5. ポンパドールは、20世紀初頭に西洋の上流階級で流行した髪型で、入れ毛のクッションや金網の詰め物の上に前髪をなで上げ、頭髪全体に逆毛を立てて表面の毛を整えた髪型である。 ………………………………………………………（○／✕）

Q6. マーセルウェーブは、1880年代にパリの美容師マーセル・グラトーによって考えられたウェーブを用いた髪型である。 ………………………………………………………（○／✕）

Q7. イートンクロップは、1820年代の西洋の女性の髪型である。 ………………………………………………………（○／✕）

Q8. アポロノットは、結んだシニョンをワイヤーで高く立て、これにラッカーを塗ったスタイルである。 ……………（○／✕）

Q9. 1979年、モンタナのマリンルックが評価された。 ………………………………………………………（○／✕）

Q10. コム・デ・ギャルソンとヨウジ・ヤマモトは、1980年代から日本での活動を始めた。 ………………………（○／✕）

Q11. 美容用具に付着した水分や薬剤、香粧品などは1日1回必ず拭き取るようにする。 …………………………（○／✕）

Q12. ブラッシングするときは、抜けるべき毛であっても抜けないように気をつける必要がある。 ………………（○／✕）

Q13. 和服の礼装は、男性は黒羽二重五つ紋付羽織、袴が正式とされ、未婚の女性は黒留袖、既婚女性は本振袖とされている。
.... （○／×）

Q14. 未婚女性の着る最も格調高い礼装用の着物は、本振袖で、袖丈は50センチメートル以上となっている。 ....（○／×）

Q15. ベースをあらかじめ一定の形、大きさに作り巻くものを、ストランドカールとよぶ。 ....（○／×）

Q16. 立位作業を行う場合は、技術者の重心から下ろした垂線が、両足に囲まれた領域内にあることが必要である。......（○／×）

Q17. シザーズは、鋏身が鋏背から切れ刃にいくにしたがってわずかに内側に湾曲したものがよい。 ....（○／×）

Q18. 毛髪を濡らすと正確なカッティングはしにくくなるが、毛髪の傷みは最小限に抑えられる。 ....（○／×）

Q19. カチオン界面活性剤は毛の表面に被膜を作って静電気の防止、ほこりの遮断、キューティクルの保護等の役割をするので、コールドウエーブの中間リンスに適している。 ....
.... （○／×）

Q20. 毛皮質及び毛髄質中のメラニン色素が酸化剤の作用で分解することを利用して脱色することをヘアブリーチという。１剤はアンモニア水等のアルカリ剤、２剤は過酸化水素水等の酸

化剤を使用する。 ………………………………（○／✕）

Q21. 合成染毛剤は、酸化染料を主成分とした１剤と、過酸化水素水等の酸化剤を主成分とした２剤からなる。また、ヘアブリーチ剤は、アンモニア水等のアルカリ剤を主成分とする１剤と、過酸化水素水等の酸化剤を主成分とした２剤とに分かれている。 ………………………………（○／✕）

Q22. キューティクルが剥離したり裂毛になっていた場合、シザーズで取り除かないほうがよい。 ………………………（○／✕）

Q23. 理想的なフェイシャルケアは、フェイシャルマッサージ、クレンジング、整肌（角質の柔軟）、フェイシャルパック、整肌（角質の収れん）、保湿（美容液・乳液・クリーム）の順番である。 ………………………………（○／✕）

Q24. フェイシャルマッサージには、血液とリンパの循環を活発化し、血液中の酸素や栄養分の補給、老廃物の排除等が行われることで、皮膚の物質代謝を促進する効果がある。 ……………
………………………………………………………（○／✕）

Q25. フェイシャルパックには、ピールオフタイプとウォッシュタイプがあり、ピールオフタイプは高分子化合物を化学処理したペースト状・ゼリー状のパック剤を水分を加えて除去するものである。 ………………………………（○／✕）

Q26. ピールオフタイプのフェイシャルパックでは、紫外線を照射して乾燥を助け、時間短縮させることが多い。………（○／✕）

Q27. 保湿やタンパク分解酵素配合のパック剤は温めるとより効果的で、赤外線灯、スチーマー、ラップ等を使用し密封して空気と遮断するODT法を併用すると効果が上がる。………
………………………………………………………………（○／✕）

Q28. ヘアカラーリングとは頭毛の色を脱色して明るくしたり、好みの色に染毛するためあらかじめ脱色したりする技術のことをいい、ヘアブリーチとは頭毛をさまざまな色に変化させる技術のことをいう。………………………（○／✕）

Q29. ダンドラフスキャルプトリートメントとは、頭皮の皮脂の分泌が過多の場合に行う方法である。………（○／✕）

Q30. スキャルプトリートメントとは、ヘアカラーリングやパーマネントウエーブ施術の直前に行う方法である。………（○／✕）

Q31. シャンプーイングのお湯の温度は体温よりわずかに温かい38〜40℃が適温である。………………………（○／✕）

Q32. シャンプー剤は、一時に多量に使ってもあまり効果はなく、かえって頭毛を傷める原因となる。………………（○／✕）

Q33. ヘアブラッシングに用いるブラシは、できるだけやわらかい弾力のないものが望ましい。………………………（○／✕）

Q34. テーパーリングとは毛先をしだいに細くする方法で、頭毛に自然な長短を作り、毛先にいくほど細く、筆の穂先のようにする。 ……………………………………………………………（○／✕）

Q35. アイライナーは、リキッドタイプより、ペンシルタイプのほうが、くっきりしたラインが描ける。また、アイブロウペンシルは、芯の硬いものを選び、眉毛を植え込むように描くとよい。 ……………………………………………………………（○／✕）

Q36. トリミングとは、レザーで毛髪の表面を滑らせる方法である。 ……………………………………………………………（○／✕）

Q37. セニングとは、髪の長さをそのままにして、全体の毛量を減少させる方法のことで、専用のセニングシザーズを使い、ストランドに対して45度の角度で行う。 …………………（○／✕）

Q38. 髪に段差をつけるカットにはレイヤーカットやグラデーションカット等があり、レイヤーカットとは下部の毛が上部よりも短いが、グラデーションカットは逆である。 ………（○／✕）

Q39. ブラントカットは直線的にカットする方法、ストロークとは曲線的にカットする方法である。 ………………………（○／✕）

Q40. 二浴式・コールドタイプのパーマネントウエーブの1剤に配合されるアルカリ剤は、シスチン結合を切断し、毛髪に可塑性を与える。 ……………………………………………（○／✕）

Q41. リンス剤は、コールドウエーブ等の後、酸性に傾いた頭毛の pH を元に戻すために用いる。 ·· (○／✕)

Q42. 二浴式・コールドタイプのパーマネントウエーブは、1剤を塗布した後、ヘアスチーマー等を使用して80℃以下の熱を与える方法である。 ·· (○／✕)

Q43. システインタイプのパーマネントウエーブは1剤にシステインを用いて頭毛の還元を行う方法である。 ·············· (○／✕)

Q44. 一浴式・コールドタイプのパーマネントウエーブは、ワンステップウエーブともいわれ、二浴式・コールドタイプのパーマネントウエーブの2剤だけを用いる方法である。 ··············
·· (○／✕)

Q45. スタンドアップカールは、カールのループが頭皮から立っているようになっているもので、メイポールカールやスカルプチュアカール等がある。 ································· (○／✕)

Q46. ヘアドライヤーには、ブロータイプのものとタービネートタイプのものがあり、ブロータイプのものは、タービネートタイプに比べてドライイングにやや時間を要する。 ············· (○／✕)

Q47. ネイルケアの道具のうち、ネイルニッパーは爪を短く切る鋏、ネイルバッファーは爪の表面を磨くものである。 ············
·· (○／✕)

I部　合格対策／文化論及び美容技術理論

Q48. まつ毛エクステンションに関して、現在は専門サロンであれ
ば、美容師でなくても施術することができる。 ⋯⋯⋯（○／✕）

Q49. 花嫁の衣装に付属する小物には丸ぐけ、帯揚げ、着付けに必要
な小物及びひも類には帯板、伊達締め等がある。⋯⋯⋯（○／✕）

Q50. 着付けの際には、着物を着る目的、季節等を考えて、適切な
生地、柄、配色の着物を選び、帯の模様、紋等衣類の主要な
部分が隠れることのないように注意する。 ⋯⋯⋯⋯（○／✕）

Q51. 着くずれを防ぐには、着付けの際にひもの締め方によく注意
することが大切である。 ⋯⋯⋯⋯⋯⋯⋯⋯⋯⋯⋯⋯（○／✕）

Q52. 着付けの際には、帯などの美しい柄が目立つようにすること
が最も大切である。 ⋯⋯⋯⋯⋯⋯⋯⋯⋯⋯⋯⋯⋯⋯（○／✕）

Q53. 帯留めは、帯の形を整える道具で、帯揚げは帯締めにつける
装飾品である。 ⋯⋯⋯⋯⋯⋯⋯⋯⋯⋯⋯⋯⋯⋯⋯⋯（○／✕）

Q54. 日本髪は基本的に前髪、左右の鬢、髱、髷の５つの部分から
構成されている。⋯⋯⋯⋯⋯⋯⋯⋯⋯⋯⋯⋯⋯⋯⋯（○／✕）

Q55. ヘアドライヤーは電流の熱作用だけを利用したものである。
⋯⋯⋯⋯⋯⋯⋯⋯⋯⋯⋯⋯⋯⋯⋯⋯⋯⋯⋯⋯⋯（○／✕）

Q56. リフトカールは、ベースの周囲を一定の形や大きさにスライ
スしてつくるストランドカールである。 ⋯⋯⋯⋯⋯（○／✕）

重要ポイントチェック
答えと基本ポイント整理

●答え●

Q1. [○] ‥‥‥‥ そのとおり。

Q2. [✗] ‥‥‥‥ チャン刈は前頭部の毛は長めに、後頭部の特に襟元の毛を短く刈るものである。

Q3. [○] ‥‥‥‥ そのとおり。

Q4. [○] ‥‥‥‥ そのとおり。

Q5. [○] ‥‥‥‥ そのとおり。

Q6. [○] ‥‥‥‥ そのとおり。

Q7. [✗] ‥‥‥‥ イートンクロップは、1920年代の西洋の女性の髪型である。

Q8. [○] ‥‥‥‥ そのとおり。

Q9. [○] ‥‥‥‥ そのとおり。

Q10. [×]……… コム・デ・ギャルソンは1969年に川久保玲に
よりブランドを立ち上げられた。ヨウジ・ヤマ
モトは1972年にワイズを設立し、すでに
1980年代以前から日本で活動をしていた。

Q11. [×]……… 使用のつど丁寧に拭き取って十分に手入れをす
る必要がある。

Q12. [×]……… ブラッシングには、抜けるべき毛髪をすき取
り、新しい毛髪の発生を促すという意味もあ
る。

Q13. [×]……… 男性は正しい。未婚の女性が本振袖、既婚女性
が黒留袖である。女性の和装の礼装生地は、緞
子、紋綸子、縮緬等を用いる。

Q14. [×]……… 本振袖の袖丈は1メートル10センチメートル
内外となっている。黒地のものを黒振袖、黒地
以外のものを色振袖という。

Q15. [○]……… なお、ベースをあらかじめ一定の形や大きさに
作ることなく、底辺をスライスしてベースを
取っていくカールのことをシェーピングカール
という。

Q16. [○]……… 安定した姿勢でないと筋肉が収縮して健康上有
害であり、かつ、能力低下の原因になる。

Q17. ［○］ ………… ただし、湾曲しすぎると摩滅が早い。また、ピボットの止めねじが締まり過ぎもせず、ゆるくもなく、刃をスムーズに運行できるものを選ぶ。

Q18. ［×］ ………… 毛髪を濡らしてカッティングするウェットカッティングのほうが正確なカッティングがしやすくなる。

Q19. ［×］ ………… 前半は正しい。しかし、カチオン界面活性剤を含むリンス剤は毛の表面に皮膜を作って薬剤の効果をはばむため、コールドウエーブの中間リンスには適さない。なお、酸性リンスのような酸性効果の強いリンス剤は、コールドウエーブ、ヘアブリーチ、ヘアカラーの後で、頭毛を本来の弱酸性の状態に戻すために用いる。

Q20. ［○］ ………… 過酸化水素水等の2剤はアルカリ性で活性化する。

Q21. ［×］ ………… 酸化染毛剤の1剤の主成分は酸化染料とアルカリ剤である。ヘアブリーチとの違いは1剤に酸化染料が入っているか否かである。

Q22. ［×］ ………… キューティクルが剥離したり裂毛になった場合、シザーズで取り除かなければならない。この作業のことをクリッピングという。

Q23. [✗] ……… 最初にクレンジングを行い、フェイシャルマッ
サージはディープ・クレンジングの後に行う。
マッサージオイルを塗る前に通常の化粧水より
アルカリ性が強い柔軟化粧品を塗って、角質を
やわらかくし、毛孔を広げることで、次のマッ
サージに効果を高めることができる。

Q24. [○] ……… マッサージは、手技とマッサージオイルとの相
乗効果により、皮脂分泌の調整を行い、皮膚に
均一におだやかな刺激を与えるものである。

Q25. [✗] ……… 水分を加えて除去するのは、ウォッシュオフタ
イプで、ピールオフタイプは皮膜をはがすもの
である。

Q26. [✗] ……… 乾燥を助けるのは紫外線ではなく、赤外線であ
る。

Q27. [○] ……… そのとおり。

Q28. [✗] ……… 説明が逆である。ヘアカラーリングは頭毛をさ
まざまな色に変化させる技術、ヘアブリーチは
頭毛の色を脱色して明るくしたり、好みの色に
染毛するためにあらかじめ脱色したりする技術
である。

Q29. [✗] ……… ダンドラフとは「ふけ」という意味であり、ダ

ンドラフスキャルプトリートメントはふけの除
去のために行う方法である。頭皮の皮脂の分泌
が過多の場合に行う方法はオイリースキャルプ
トリートメントという。

Q30. ［✕］……… スキャルプトリートメントは、ヘアカラーリン
グやパーマネントウエーブの直前に行うのでは
なく、後に行う。

Q31. ［◯］……… そのとおり。

Q32. ［◯］……… そのとおり。

Q33. ［✕］……… ブラシの毛がやわらかすぎると頭皮まで通らな
いので、ある程度かたくて弾力のあるものがよ
い。ナイロン製やビニール製でも質のよいもの
があり、一般に使用されている。

Q34. ［◯］……… そのとおり。

Q35. ［✕］……… アイライナーは、リキッドタイプのほうが、
くっきりしたラインが描ける。アイブロウペン
シルについては、そのとおり。

Q36. ［✕］……… トリミングはすでに形のできあがった髪線の上
を軽くカットして修整する方法である。

Q37. ［○］………… また、滑らせる要領で毛量を減らすスリザリン
グという方法もある。

Q38. ［✕］………… レイヤーカットでは下方の毛が上方よりも長く
なり、グラデーションカットはその逆になる。
なお、段をつけずに、頭毛を水平の同一線上に
そろえるカットは、ワンレングスカットとよば
れる。

Q39. ［✕］………… 前半は正しい。ストロークとは「反復運動の一
動作」を意味し、美容技術では「手のひと動か
し」「手を1回動かすこと」を表す。ロングス
トロークやショートストローク等がある。

Q40. ［✕］………… アルカリ剤は、毛髪を膨潤させパーマ剤を浸透
させやすくする。

Q41. ［✕］………… コールドウエーブの後で頭毛のpHがアルカリ
性に傾いているような場合には、頭毛を本来の
弱酸性の状態に戻す必要があり、酸性効果のあ
るリンス剤を用いる。普段の健康な頭毛は
pH5.5程度の弱酸性であり、一般にリンス剤
は頭毛のpHと同じ弱酸性のものが望ましい。

Q42. ［✕］………… 温度が80℃以下ではない。二浴式・コールド
タイプパーマネントウエーブは、1剤を塗布し
た後、ヘアスチーマー等を使用して60℃以下

の熱を与える方法である。

Q43. [○] ……… そのとおり。

Q44. [×] ……… 一浴式・コールドタイプのパーマネントウエーブは、二浴式の１剤だけを用いる方法で、チオグリコール酸の濃度やアルカリ剤の量を低レベルに設定してある。２剤の酸化剤を用いるかわりに、空気中の酸素やリンシングの際の水中の酸素による自然酸化を利用してシスチンを再結合する。

Q45. [×] ……… メイポールカールやスカルプチュアカールはフラットカールといい、ループが頭皮に平らに付くようになっているものである。スタンドアップカールにはリフトカール等がある。

Q46. [○] ……… ヘアドライヤーは、頭毛にくせをつけてヘアスタイルを完成させるため、濡れた頭毛を早く乾かす目的等に使用される。なお、ハンドドライヤーの消費電力は、業務用としては1,200kW程度のものが多い。

Q47. [○] ……… そのほかには、キューティクルを切るキューティクルニッパー、キューティクルを押し上げるキューティクルプッシャー等がある。

Q48. [×] ……… 厚生労働省からの通知により、まつ毛エクステ
ンションは美容師が美容所でしか行えない業務
である。

Q49. [○] ……… そのとおり。

Q50. [○] ……… 着物の帯や模様、色などは着る人の好みに合わ
せ、好みがいかされるように工夫することが大
切である。ゆったりきちんと、その人なりに最
も美しくということが重要である。

Q51. [○] ……… 着付けの上手下手は、その基礎となる下着襦袢
の着方、ひもの締め方に大きく影響される。

Q52. [×] ……… 着付けで最も大切なのは、全体のバランスであ
る。着る人と着物・帯とが不釣合いにならない
よう、たとえば小柄な人には帯の幅は狭くす
る。

Q53. [×] ……… 帯留めは帯締めにつける装飾品で、帯揚げは帯
の形を整える道具である帯枕の上にかけて用い
る。帯揚げには、絞り染、ぼかし染のほか無地
のものもある。

Q54. [○] ……… そのとおり。

Q55. [×] ……… ヘアドライヤーは、電流の熱作用で熱をつくり

だし、それを電流の磁気作用を利用したモーターでファンを動かし風を送る。

Q56. ［○］ ……… そのとおり。

II部

模擬試験問題

第1回 模擬試験問題

・・・ 関係法規・制度及び運営管理 ・・・

問題1 美容の業を行うときに講ずべき措置に関する次の記述のうち、<u>誤っているもの</u>はどれか。

（1）皮膚に接する器具は、客1人ごとにこれを消毒しなければならない。

（2）皮膚に接する器具の消毒など、美容の業を行う場合に講ずべき措置は、開設者に課せられた義務である。

（3）皮膚に接する布片は、汚れの状況によらず、客1人ごとに取り替えなければならない。

（4）衛生上必要な措置は、法律で規定されている事項のほかに、都道府県が条例で定めることができる。

問題2 美容所の立入検査に関する次の記述のうち、<u>正しいもの</u>はどれか。

（1）個人情報保護の観点から、美容所の開設者は、立入検査を行う者に対してその身分を示す証明書の提示を求めることはできない。

（2）立入検査は、美容所の開設者が適切な衛生措置を講じているかどうかを検査するものであり、美容師の衛生措置については検査しない。

（3）立入検査を正当な理由なく拒んだり、妨げたり、忌避したりしたときは、30万円以下の罰金が処されることがある。
（4）環境衛生監視員は、必要があれば、美容所の開設者の住居を立入検査することができる。

問題3　美容師に関しての変更がある場合、名簿の変更の申請をする<u>必要がないのは</u>次のうちどれか。
（1）美容師の氏名
（2）美容師の住所
（3）美容師の生年月日
（4）美容師の性別

問題4　保健所の業務の中で、美容師法の施行に関する業務に該当するものは次のうちどれか。
（1）精神保健に関する事項
（2）感染症その他の疾病の予防に関する事項
（3）衛生上の試験及び検査に関する事項
（4）住宅、水道、下水道、廃棄物処理、清掃その他の環境の衛生に関する事項

問題5　次のAからDまでの中で、美容師が美容の業を行うときに清潔に保つ義務があるものはいくつあるか。
A：クリッパー
B：ロッド
C：マニキュア器具
D：ヘアアイロン
（1）1つ

(2) 2つ

(3) 3つ

(4) 4つ

問題6　美容所に関する次の事項のうち、開設者が美容師法に基づく変更の届出を行う必要があるものはどれか。

(1) 美容所の営業時間を変更した場合

(2) 美容所の定休日を変更した場合

(3) 美容所に従事している美容師の住所が変更された場合

(4) 美容所に従事している美容師が退職した場合

問題7　美容業の運営や衛生に関する法律についての次の記述のうち、誤っているものはどれか。

(1) 株式会社日本政策金融公庫法では、美容所の開設者が美容所の従業員の意志に反して労働を強制してはならないと定める。

(2) 労働安全衛生法は、美容師の作業形態から生じる腰痛等、美容業の職業の特性に起因する健康障害について、事業者・開設者とともに働く人も、自主的にその予防や回復促進に努める必要を規定している。

(3) 廃棄物の処理及び清掃に関する法律では、美容業で排出される髪の毛などの事業系一般廃棄物は事業者の責務として適正に処理することが要請されている。

(4) 消費者基本法では、美容業の事業者がその責務を自覚して消費者保護に積極的な役割を果たすことを期待されている。

問題8 税金に関する罰則についての次の記述のうち、**誤っているもの**はどれか。

(1) 法定納期限までに納付しなかった場合に原則として法定納期限の翌日から納付日までの日数に応じて課される税金を、過少申告加算税とよぶ。

(2) 源泉所得税を納付期限までに支払わなかった場合に課せられる税金を、不納付加算税とよぶ。

(3) 申告期限内に申告しなかった場合に課せられる税金を、無申告加算税とよぶ。

(4) 隠蔽（いんぺい）や仮装があった場合に過少申告加算税等に代えて課せられる税金を、重加算税とよぶ。

問題9 国民年金に関する次の記述のうち、**正しいもの**はどれか。

(1) 厚生年金保険や共済年金の加入者は、国民年金に加入する必要はない。

(2) 国民年金の第2号被保険者と第3号被保険者は、個別に国民年金保険料を負担する必要はない。

(3) 日本国内居住の20歳以上であっても、学生は国民年金の被保険者になる必要がない。

(4) 国民年金の給付は、老齢基礎年金に限られる。

問題10 厚生年金保険に関する次の記述の □□□□ に入る語句として適切なものはどれか。

「厚生年金保険は会社員などが加入する制度である。適用事業所に使用される70歳未満の者は原則として被保険者となる。法人の事業所は □□□□ となる。」

(1) 任意適用事業所

（2）強制適用事業所

（3）老齢基礎年金適用事業所

（4）遺族厚生年金適用事業所

衛生管理

【公衆衛生・環境衛生】

問題11 人口の高齢化と後期高齢者に関する次の記述のうち、正しいものはどれか。

（1）我が国の高齢化の推移と将来推計（1995～2065年）によると、65歳以上人口割合は、2020年は28.6％以上になっている。

（2）後期高齢者とは、70歳以上の高齢者をいう。

（3）後期高齢者の医療費は、全額、国が負担している。

（4）後期高齢者医療制度は老人保健法で定められている。

問題12 公衆衛生の歩みに関する次の記述のうち、正しいものはどれか。

（1）14世紀半ばのペストの大流行で、ヨーロッパでは全人口の1割が死亡したといわれている。

（2）世界で初めて看護師養成学校を設立したのはナイチンゲールである。

（3）種痘法を世界で初めて開発したのはジョン・スノーである。

（4）小石川薬草園内に養生所を開設したのは徳川家康である。

問題13 2015年の出生率に関する次の記述のうち、<u>誤っているもの</u>はどれか。

(1) 出生数とは1年間に生まれる子どもの数で、年間100万人前後である。

(2) 出生率とは、人口1,000人に対する出生数で、1950年には28近くあったが、10を割り込んでいる。

(3) 合計特殊出生率とは1人の女性が一生に産む子どもの数であり、実際には、15歳から49歳までの年齢別出生率の合計である。

(4) 合計特殊出生率は、第一次ベビーブームには4以上あったが、2を超える程度まで低下している。

問題14 衣服の着用目的と生地の性質に関する次の記述のうち、<u>誤っているもの</u>はどれか。

(1) 体温調節には熱伝導性をもつ衣服材料が適している。

(2) 身体保護には抗帯電性をもつ衣類材料が適している。

(3) 清潔保持には抗菌性をもつ衣服材料が適している。

(4) 作業能率増進には伸縮性をもつ衣服材料が適している。

問題15 上水道に関する次の記述のうち、正しいものはどれか。

(1) 上水には不便のないことが求められるが、具体的には、水系感染症などの病原体や有害化学物質を含まないことを意味する。

(2) 上水が供給される過程は、順に、取水、配水、導水、浄水、送水である。

(3) 浄水操作は凝集、沈殿、砂ろ過、消毒の過程からなる。

(4) 水道法では給水栓で測定して、遊離残留塩素量が0.1mg/

L 以下に保持されるように規定されている。

【感染症】

問題16 次の感染症のうち、その患者が、一定期間、美容業に従事して
はいけないものに該当しないものはどれか。
（1）エボラ出血熱
（2）結核
（3）Ａ型肝炎
（4）ジフテリア

問題17 感染症予防の３原則のうち、感染源に関する対策に該当しない
のは次のうちどれか。
（1）就業制限
（2）出席停止
（3）交通規制
（4）患者の入院勧告

問題18 感染に関する次の記述のうち、誤っているものはどれか。
（1）感染とは、病原体が人体に侵入することをいう。
（2）急性灰白髄炎（ポリオ）や日本脳炎はほとんどが不顕性
感染に終わる。
（3）Ｂ型肝炎やＣ型肝炎に見られる肝炎ウイルスは持続性感
染の典型例である。
（4）健康な人であれば通常感染を起こさないような病原性の
低い病原体によって感染、発病することを日和見感染という。

問題19 感染経路に関する次の記述のうち、正しいものはどれか。

（1）接吻や性交など直接触れ合うことで感染者から感染する場合は接触感染と言い、マラリアがその典型である。

（2）くしゃみなどによって飛び出す唾液の小滴に含まれている病原体を吸い込むことによって感染する場合は飛沫感染（しぶき感染）と言い、エイズがその典型である。

（3）コレラや腸チフスなど、水が病原体に汚染されて感染する場合を水系感染という。

（4）空気感染（飛沫核感染）は飛沫感染（しぶき感染）と同じである。

問題20 常在細菌叢に関する次の記述のうち、誤っているものはどれか。

（1）出産直後の環境が劣悪な場合に、人体は生まれてすぐに各種微生物に汚染される。

（2）正常な状態では常在細菌叢は病原性を発揮しない。

（3）ある種の腸内細菌はビタミンなど人体に必要な物質を産出する。

（4）鼻腔には多数のブドウ球菌が存在する。

【衛生管理技術】

問題21 理学的消毒法に関する次の記述のうち、誤っているものはどれか。

（1）煮沸は２分間以上で芽胞も不活化することができる。

（2）煮沸ですべてのウイルスを不活化することができる。

（3）煮沸消毒の際、炭酸ナトリウムを水に１〜２％の割合で加えると、殺菌力が増す。

（4）蒸気でタオルを消毒するときは、洗った後にかたく絞ったタオルを緩く戻し、蒸し器内に縦置きにする。

問題22 次亜塩素酸ナトリウムの特徴に関する次の記述のうち、正しいものはどれか。
（1）漂白作用はない。
（2）結核菌に対して殺菌力が強い。
（3）ノロウイルスの不活化には効果がない。
（4）比較的不安定で分解しやすく、冷暗所に保存しないといけない。

問題23 消毒薬の特徴と使用方法に関する次の記述のうち、正しいものはどれか。
（1）両性界面活性剤は、血液が付着している器具の消毒に使用できる。
（2）逆性石けんによる消毒は、0.1％以上の水溶液に5分間浸しておく。
（3）両性界面活性剤は、普通の石けんと併用すると沈殿を起こし、消毒力が低下する。
（4）グルコン酸クロルヘキシジンは、0.05％以上の水溶液に5分以上浸す。

問題24 消毒薬を含ませたガーゼもしくは綿で、器具の表面を拭う方法が認められている消毒薬は次のうちどれか。
（1）逆性石けん
（2）エタノール
（3）両性界面活性剤

(4) グルコン酸クロルヘキシジン

問題25 消毒薬希釈液の調整に関する次の文章の 〔　　　　〕 内に入る数字の組合せとして、正しいものはどれか。

「赤桃色に着色された〔　A　〕%グルコン酸クロルヘキシジン製剤を用いて、規則で規定している0.05%の使用液を500mℓ調整する場合の計算量は、製剤〔　B　〕mℓと水〔　C　〕mℓである。」

	A	B	C
(1)	5	5	495
(2)	5	10	490
(3)	20	15	485
(4)	20	20	480

・・・・・・・・・・・・・・ 保健 ・・・・・・・・・・・・・・
【人体の構造及び機能】

問題26 血液のうち、栄養素を運搬するのは次のうちどれか。

(1) 血漿
(2) 血小板
(3) 白血球
(4) 赤血球

問題27 骨の構造のうち、造血作用を持つのは次のうちどれか。

(1) 骨膜
(2) 緻密質

（3）黄色骨髄

（4）赤色骨髄

問題28 口とその周辺に関する次の組合せで誤っているものはどれか。

（1）口唇 ─────── 赤唇縁

（2）下唇 ─────── オトガイ唇溝

（3）口角の外側 ─── 鼻唇溝

（4）人中 ─────── オトガイ
　　　じんちゅう

問題29 胸部の筋は次のうちどれか。

（1）広背筋

（2）横隔膜

（3）三角筋

（4）縫工筋

問題30 酸素を豊富に含んだ動脈血が流れている血管は、次のうちどれか。

（1）門脈

（2）肺動脈

（3）肺静脈

（4）肝静脈

【皮膚科学】

問題31 皮膚の表面に関する次の記述の　　　に入る語句として正しいのは次のうちどれか。

「肌理とは皮膚の表面の状態を表す言葉であるが、『肌理が細か
　きめ

い』というのは、表面の凹凸が少なく◻︎◻︎◻︎が小さい状態のことをいう。」

(1) 皮膚小溝

(2) 皮膚小稜

(3) 皮野

(4) 指腹

問題32 毛に関する次の記述のうち、正しいものはどれか。

(1) 成人の平均的な頭毛数は約1万本である。

(2) 頭毛の太さは約0.3mmである。

(3) 毛根の外側を鞘のようにして包んでいる組織を毛包（毛嚢）とよぶ。

(4) 毛は、中心部から毛髄質、毛小皮、毛皮質の3つの層によってなっている。

問題33 皮脂に関する次の記述のうち、正しいものはどれか。

(1) 脂腺の発育は女性ホルモンの影響を強く受ける。

(2) 脂腺は真皮にある。

(3) 脂肪膜は真皮と皮下組織の境界をなしている。

(4) 脂肪膜は、アルカリ膜ともよばれている。

問題34 ふけ症に関する次の記述のうち、誤っているものはどれか。

(1) ふけ症とは、頭の皮膚の角化が促進して、角質層が正常以上にはがれ落ちる現象である。

(2) 油性のふけ症の人は、脂肪膜を取り去らないように洗髪の回数をなるべく少なくする。

(3) 精神的、肉体的疲労は、ふけ症を悪化させることが多い。

（4）乾性のふけ症の人は、シャンプーしすぎないようにして、シャンプー後はリンスを用いる。

問題35 接触皮膚炎（カブレ）に関する次の記述のうち、<u>誤っているもの</u>はどれか。

（1）ベルロック皮膚炎はベルガモット油が原因である。

（2）酸化染毛剤に用いられる酸化染料の中では、パラフェニレンジアミンが最もカブレを起こしやすい。

（3）白髪染めでカブレを起こした場合は、薄めて使用する。

（4）前回まで何回も使用したことがある染毛剤であっても、かぶれるということがある。

・・・・・・・・・・・・・ 香粧品化学 ・・・・・・・・・・・・・

問題36 石けんに関する次の文章の ☐☐☐ に入る語句の組合せとして正しいものはどれか。

「石けんは牛脂とヤシ油を混合し、これに ☐A☐ や ☐B☐ を加えて加水分解して作る。これをけん化という。 ☐A☐ で作った石けんは、一般にかたいので硬質石けんといい、 ☐B☐ で作ったものはやわらかいので軟質石けんという。」

	A	B
（1）	シンデットバー	オリーブ油
（2）	シンデットバー	ヒマシ油
（3）	アシルグルタミン塩酸	アラントイン
（4）	水酸化ナトリウム	水酸化カリウム

問題37 次のAからDのうち医薬部外品に該当するものはいくつある
か、次の中から選べ。

A：パーマネントウエーブ用剤

B：いびき防止薬

C：薬用石けん

D：整腸薬

（1） 1つ

（2） 2つ

（3） 3つ

（4） 4つ

問題38 香粧品に用いられる色材に関する次の組合せのうち、誤ってい
るものはどれか。

（1） 酸化鉄 ──── 無機顔料

（2） 亜鉛華 ──── 無機顔料

（3） レーキ ──── タール色素

（4） 雲母チタン ── タール色素

問題39 クリームに関する次の記述のうち、誤っているものはどれか。

（1） O／W型は総じて、W／O型より油性成分の割合が少な
い。

（2） 油分が70％以上のものを油性クリームという。

（3） バニシングクリームは皮膚に塗布したときに消失する感
じがある。

（4） エモリエントクリームは中油性クリームである。

問題40 香粧品原料に関する次の組合せのうち、誤っているものはどれか。

(1) モクロウ ―――――― 植物油脂
(2) ホホバ油 ―――――― 植物性ロウ
(3) カルナウバロウ ――― 固体ロウ
(4) キャンデリラロウ ―― 液体ロウ

・・・・・・ 文化論及び美容技術理論 ・・・・・・

問題41 明治時代の洋装の導入に関する次の記述のうち、誤っているものはどれか。

(1) 洋服の導入は、幕末から明治にかけての軍服が最初である。
(2) 明治維新後は、洋服の着用はステータスシンボルであった。
(3) 女性の洋装も男性同様に一般的になった。
(4) 海老茶袴が女学生の代名詞として流行した。

問題42 大正時代の服装とその背景に関する次の記述の　　　　に入る語句として正しいものはどれか。

「大正時代は、言論の自由の運動や民主主義の思想の高まりを見せた時代で、　　　　などとも言われた。男性の服装は、都会の会社員の間で背広上下が普及し、明治時代に比べさらに洋装化が進んだ。」

(1) モボ
(2) モガ

（3）鹿鳴館

（4）大正デモクラシー

問題43　大正時代の女性の服装に関する次の記述のうち、誤っているものはどれか。

（1）大正時代には婦人の参政権獲得運動など婦人運動が活発になり、おかっぱ頭（断髪）とロングスカートが新しい女性の象徴となった。

（2）女性の職業服に洋服が取り入れられるのは全体としては少なかったが、大正9年にはバスガール（車掌）が登場し、洋装の制服が採用された。

（3）女学生の洋装化も徐々に行われ、セーラー服やスカートの制服が採用されるようになった。

（4）大正時代が始まって間もなく、洋装が女性の間で定着した。

問題44　美容技術における作業姿勢に関する次の記述のうち、正しいものはどれか。

（1）安定した姿勢をとるためには、技術者の重心から下した垂線が両足に囲まれた領域の前にあることが必要である。

（2）美容技術は立位作業のため、疲労時には上肢をマッサージすることが大切である。

（3）パーマネントウエーブ技術では、施術部位に正対して、お客様の頭が技術者の心臓より少し低くなる高さに椅子を合わせる。

（4）肩の関節を固定させて手を動かすときは、肘に余裕をもたせて手先を動かすほうが作業が容易である。

問題45 美容器具に関する次の記述のうち、<u>誤っているもの</u>はどれか。

(1) ブロータイプのヘアドライヤーは、タービネートタイプに比べ音が小さい。

(2) タービネートタイプのヘアドライヤーは、ブロータイプに比べヘアドライイングの能率が悪い。

(3) ヘアスチーマーは蒸気の粒子が細かいもののほうがよい。

(4) ヘアスチーマーは、薬剤の浸透を促進させる目的などで使用される。

問題46 下の図はコームを表したものである。Aに該当する名称は次のうちどれか。

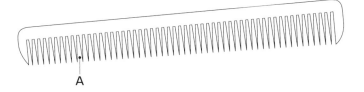

A

(1) 歯
(2) 目
(3) 歯先
(4) 粗歯

問題47 毛先が集まる位置とカットラインの関係に関する次の記述のうち、 □ に入る語句として正しいのはどれか。

「パネルを中央に集めて切った場合は、カットラインは □ カットラインになる。」

(1) 右に向かって徐々に長い
(2) 左に向かって徐々に長い

（3）水平な

（4）頭の丸みとは逆の

問題48 ヘアカッティングに関する次の記述のうち、正しいものはどれか。

（1）セニングカットは、間引きするように毛量を減らして調整するカット技法である。

（2）トリミングカットは、毛先を尖らせたり、軽くしたりする技法である。

（3）ブラントカットは、カッティングされたラインをさらにカットし、修整して仕上げるカット技法である。

（4）ポイントティングカットは、毛髪の流れを変えずに毛量を少なくする技法である。

問題49 スキップウエーブに関する次の記述のうち、正しいものはどれか。

（1）スキップウエーブは、必ずフィンガーウエーブから作り始める。

（2）スキップウエーブは、右巻きと左巻きのカールが交互に配置されている。

（3）スキップウエーブは、フィンガーウエーブとスカルプチュアカールが交互に配置されている。

（4）スキップウエーブは、ハーフウエーブを巻く方向が同じ2つ以上のピンカールから構成されている。

問題50 フェイシャルケアに関する次の記述のうち、誤っているものはどれか。

（1）ディープ・クレンジングは、クレンジングで落としきれない老化角質や過剰皮脂を取り除く。

（2）マッサージオイルは、脂腺の働きを助けるものであり、脂性肌であっても多く使う。

（3）パックを一連のフェイシャルケアに組み入れるときは、マッサージの後に行う。

（4）クレンジングミルクは、顔面に塗り、皮膚についている皮脂やファンデーションなどの汚れを浮かし、スポンジなどで除去する。

問題51 リップメイクに関する次の記述のうち、正しいものはどれか。

（1）唇を鋭角的に描くときは、下唇は口角から中央に向かって丸みのあるラインを描く。

（2）口角を上向きにするためには、リップブラシは、中央から口角に向かって描きはじめることが重要である。

（3）口角をきれいな上向きにするためには、上唇と下唇の口紅を口角までつなげないようにする。

（4）上唇の山の部分と下唇の中央部分の厚みが同じになるように描く。

問題52 日本髪結髪用櫛類のうち、以下の図は次のうちどれか。

- （1）はまぐり歯
- （2）鬢出し
- （3）月形
- （4）とかし櫛

問題53 着物や着付けに関する次の記述のうち、正しいものはどれか。
- （1）男性の着物には繰越しがない。
- （2）女性の腰ひもは必ず体の中心で結ぶ。
- （3）小柄な人には帯の幅は広くする。
- （4）体形補整は肌襦袢を着る前にタオルやコットンを使って行う。

問題54 まつ毛エクステンションに関する次の記述のうち、正しいものはどれか。
- （1）まつ毛の毛周期は、毛髪の毛周期に比べて短い。
- （2）グルーは硬化するまで約５時間かかるため、最低でも５〜６時間は入浴やサウナなど高温・多湿の環境は避ける。
- （3）グルーやリムーバーによるアレルギー反応は、施術してからしばらく時間が経って現れる。
- （4）通常は施術後６〜７週間持つが、技術の良さやアフターケアの差で違ってくる。

問題55 色の基本に関する次の記述のうち、正しいものはどれか。

（1）色の基本の3色は赤・黄・緑である。

（2）セコンダリーカラーとは基本の3色の2色ずつを混合した色である。

（3）補色とはカラーサークルで90度の角度に位置する色をいう。

（4）彩度とは色の明るさのことをいう。

第2回 模擬試験問題

・・・ 関係法規・制度及び運営管理 ・・・

問題1 違反者に対する行政処分に関する次の記述のうち、正しいものはどれか。

（1）厚生労働大臣は、美容師である従事者の数が常時2人以上である美容所の開設者が管理美容師を置かないときは、美容所の閉鎖を命ずることができる。

（2）都道府県知事は、美容師が業務停止処分に違反して、業務停止期間中に美容の業を行ったときは、免許を取り消すことができる。

（3）都道府県知事は、美容所の開設者が、美容師以外の者にその美容所において美容の業を行わせたときは、美容所の閉鎖を命ずることができる。

（4）厚生労働大臣は、美容所の開設者に対する閉鎖命令をするときは、行政手続法に基づき、処分を受ける者に対して意見陳述の機会を与えなければならない。

問題2 次の違法行為のうち、美容師法の罰金が適用されるのはどれか。

（1）美容師が、業務停止処分に違反した場合

（2）美容所の開設者が、虚偽の届出をした場合

（3）美容所の開設者が、美容所において必要な措置を講じな
かった場合

（4）管理美容師を置く義務がある美容所が管理美容師を置か
なかった場合

問題3 美容師試験に関する次の文章の　　　　内に入る語句の組合せ
のうち、正しいものはどれか。

「美容師試験は、美容師として必要な　A　についての試験を
　B　が行う。」

	A	B
（1）	知識及び技能 ———	厚生労働大臣
（2）	知識及び技能 ———	都道府県知事
（3）	管理能力 ———————	厚生労働大臣
（4）	管理能力 ———————	都道府県知事

問題4 美容師法において、保健所を設置する地方公共団体が条例で規
定できることになっている事項に該当するものの正しい組合せ
はどれか。

a：美容所の開設者が美容所につき講ずべき衛生上必要な措置

b：美容所の設置者が管理美容師を置かなければならない要件

c：美容所の開設者が届出る美容所の位置等の届出の必要項目

d：美容師が業を行うときに講ずべき衛生上必要な措置

（1）aとb

（2）aとc

（3）aとd

（4）bとc

問題5　美容師法に関する次の記述のうち、正しいものはどれか。

（1）美容師法では、器具の消毒などの衛生上必要な措置は開設者に義務付け、美容所を常に清潔に保ち、消毒設備を設けるなどの措置は美容師に義務付けている。

（2）美容師法では、器具の消毒などの衛生上必要な措置は美容師に義務付け、美容所を常に清潔に保ち、消毒設備を設けるなどの措置は管理美容師に義務付けている。

（3）美容師法では、器具の消毒などの衛生上必要な措置は管理美容師に義務付け、美容所を常に清潔に保ち、消毒設備を設けるなどの措置は開設者に義務付けている。

（4）美容師法では、器具の消毒などの衛生上必要な措置は美容師に義務付け、美容所を常に清潔に保ち、消毒設備を設けるなどの措置は開設者に義務付けている。

問題6　環境衛生監視員に関する次の記述のうち、正しいものはどれか。

（1）厚生労働大臣は環境衛生監視員を美容所に立入検査させることができる。

（2）環境衛生監視員が立ち入ることができるのは、美容所と美容所の開設者の住居だけで、美容師の住居には立ち入れない。

（3）環境衛生監視員の権限は、美容所で犯罪があるときは犯罪捜査に使うこともできる。

（4）環境衛生監視員の立入検査を妨げたり忌避すると罰金に処せられる。

問題7　「生活衛生関係営業の運営の適正化及び振興に関する法律」に関する次の記述のうち、誤っているものはどれか。

（1）消費者の苦情処理についての規定はない。

（2）区域内の美容料金を統一する規定はない。

（3）美容所の施設改善のための資金のあっせんの規定がある。

（4）消費者の選択の利便を図るための標準営業約款の制定の規定がある。

問題8　医療保険に関する次の記述のうち、誤っているものはどれか。

（1）健康保険とは、労働者やその被扶養者に業務外の疾病、死亡、出産に関する給付を行う制度で、保険者は全国健康保険協会と健康保険組合である。

（2）国民健康保険とは、健康保険などの被用者保険に加入していない者を対象とする医療保険制度である。

（3）健康保険料の金額は、標準報酬月額、標準賞与額に保険料率を乗じて決定されるが、全国健康保険協会の場合、全都道府県で保険料率が同一である。

（4）国民健康保険料の計算方法は市区町村によって異なる。

問題9　健康保険の給付に関する次の記述のうち、誤っているものはどれか。

（1）健康保険の被保険者および被扶養者が業務以外の事由により病気やけがをしたときは、医療機関に被保険者証を提示することにより、一部負担金としてかかった医療費の原則2割で治療を受けることができる。

（2）同一月にかかった医療費の自己負担額が高額になることが事前にわかっている場合には、限度額適用認定証の交付を受

けて医療機関に提示すれば、高額の医療費負担を避けることができる。

（3）健康保険の被保険者あるいは被扶養者が出産した場合、1児につき原則として50万円が支給される。

（4）疾病手当金は、被保険者が業務外の疾病による療養のために仕事を休み、給与を受けられないときの生活保障として給付される。

問題10 介護保険に関する次の記述のうち、誤っているものはどれか。

（1）介護保険とは、高齢化の進展に伴い介護ニーズが増大する一方、介護する家族をめぐる状況も変化してきたことを背景に、介護を必要とする高齢者を国民全体で支えるための仕組みとして実施された制度である。

（2）介護保険の第1号被保険者は、市町村の区域内に住所を有する60歳以上の者である。

（3）介護保険の第2号被保険者は、市町村の区域内に住所を有する40歳以上65歳未満の医療保険加入者である。

（4）介護保険の第2号被保険者に係る保険料は、各医療保険者が医療保険料の一部として賦課・徴収する。

衛生管理

【公衆衛生・環境衛生】

問題11 心の健康づくりに関する次の記述のうち、正しいものはどれか。

（1）睡眠障害は、「体や心の病気」のサインのことがある。

（2）自殺は、2020（令和2）年における10〜39歳の死因の第2位である。

（3）うつ病は心の病気のため、感情、意欲、思考に症状が現れ、身体には現れない。

（4）睡眠時間は8時間ほど必要である。

問題12 妊産婦の健康管理に関する次の記述のうち、正しいものはどれか。

（1）母子健康手帳は市町村から交付されるものであって、医療機関からは交付されない。

（2）妊娠や出産は生理的現象であって病気ではないため、妊産婦は保健指導を受けることはできない。

（3）妊娠高血圧症候群では高血圧の症状は見られるが、タンパク尿などの症状は出ない。

（4）妊産婦についての規定は母子保健法のみに規定されてあり、労働基準法には規定がない。

問題13 衣料の加工処理の目的と使用薬剤に関する次の組合せのうち、誤っているものはどれか。

（1）防しわ ──────── ホルマリン樹脂加工
（2）防虫 ──────── 有機水銀化合物
（3）やわらかさを与える ── 陽イオン界面活性剤
（4）白さを与える ──── スチルベン誘導体

問題14 空気中の有害物質についての次の記述のうち、誤っているものはどれか。

（1）一酸化炭素は有機物が不完全燃焼したときに生じる。

（2）浮遊粒子状物質とは、大気中に浮遊する粒子状の物質で、その粒径が 1 μm 以下のものをいう。

（3）浮遊粒子状物質の人体に対する主な影響は、じん肺症である。

（4）酸素濃度が過剰であると、肺炎やてんかん様けいれんが症状として出ることがある。

問題15 厚生労働省が策定した「健康づくりのための睡眠指針」の内容として、誤っているものはどれか。

（1）睡眠時間を確保するために、休日は遅くまで寝るとよい。

（2）肥満は睡眠時無呼吸の原因となる。

（3）眠くなってから寝床に入り、起床時間は遅れせない。

（4）よい睡眠は、生活習慣病の予防につながる。

【感染症】

問題16 細菌に対する環境の影響に関する次の記述のうち、誤っているものはどれか。

（1）すべての細菌の発育に酸素が必要というわけではない。

（2）多くの細菌の最適 pH は中性か弱アルカリ性である。

（3）多くの細菌の至適温度は37℃前後である。

（4）すべての細菌の発育に水が必要というわけではない。

問題17 次の感染症のうち、一類感染症はどれか。

（1）ペスト

（2）結核

（3）デング熱

(4) 梅毒

問題18 次の病原体と感染症の組合せのうち、正しいものはどれか。
  (1) コレラ ———— ウイルス
  (2) 結核 ———— ウイルス
  (3) 狂犬病 ———— クラミジア
  (4) マラリア ——— 原虫

問題19 急性灰白髄炎（ポリオ）に関する次の記述のうち、正しいものはどれか。
  (1) 潜伏期は数時間から5日以内である。
  (2) 病原体はスピロヘータである。
  (3) 飼い犬を常時庭内につなぐことが予防対策として有効である。
  (4) 別名は小児まひである。

問題20 風しんに関する次の記述のうち、誤っているものはどれか。
  (1) 妊娠3カ月以内の妊婦が罹患すると心臓病や聴力障害をもつ子どもが生まれることがある。
  (2) 別名は百日せきである。
  (3) 五類感性症である。
  (4) 潜伏期は2〜3週間である。

【衛生管理技術】

問題21 ブラシの消毒に関する次の記述の　A　と　B　に入る語句として正しい組合せは次のうちどれか。
  「ブラシ類は『　A　』に規定されている。典型的な消毒方法

は、よく水洗いしてから逆性石けん水溶液に浸すことだが、 B ブラシは紫外線消毒が適している。」

	A		B
（1）	皮膚に接する器具	———	カルカヤ
（2）	皮膚に接する器具	———	クッション
（3）	皮膚に接する布片	———	カルカヤ
（4）	皮膚に接する布片	———	クッション

問題22 蒸しタオルの温度上昇曲線のうち、◆に該当するものはどれか。

（1）かたく絞って緩く巻いたタオルを縦置きした場合
（2）かたく絞って緩く巻いたタオルを横置きした場合
（3）かたく絞ってかたく巻いたタオルを縦置きした場合
（4）かたく絞ってかたく巻いたタオルを横置きした場合

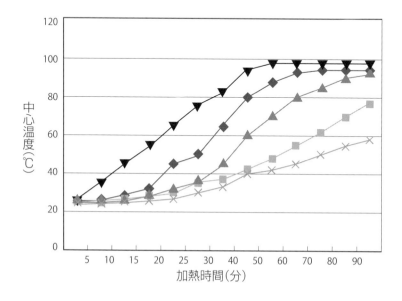

問題23 以下の美容の器具の消毒方法のうち、作用時間が「10分間以上」でないものはどれか。

(1) 紫外線消毒

(2) エタノール水溶液

(3) 次亜塩素酸ナトリウム水溶液

(4) 逆性石けん

問題24 次の消毒法のうち、芽胞を不活性化できるのはどれか。

(1) 紫外線消毒

(2) 煮沸消毒

(3) 逆性石けん

(4) グルコン酸クロルヘキシジン

問題25 革製品の消毒方法について、正しいものの組合せはどれか。

a：煮沸消毒

b：次亜塩素酸ナトリウム水溶液に浸す

c：紫外線消毒

d：エタノール水溶液を含ませた綿で拭く

(1) aとb

(2) aとc

(3) bとc

(4) cとd

保健

【人体の構造及び機能】

問題26 人体の器官と系統に関する次の組合せのうち、**誤っているもの**はどれか。

(1) 循環器系 ─── リンパ節

(2) 消化器系 ─── 肝臓

(3) 呼吸器系 ─── 横隔膜

(4) 感覚器系 ─── 脊髄

問題27 次の筋のうち、頸部の筋はどれか。

(1) 胸鎖乳突筋

(2) 大胸筋

(3) 横隔膜

(4) 三角筋

問題28 自律神経に関する次の記述のうち、正しいものはどれか。

(1) 自律神経は体性神経と協調しながら活動するが、内分泌器系とは協調しない。

(2) 外界の変化に対応して諸器官を調整する神経は自律神経に属する。

(3) 自律神経は知覚神経と運動神経に分けられる。

(4) 副交感神経は闘争の神経で、活力を高める。

問題29 門脈循環に関する次の記述のうち、**誤っているもの**はどれか。

(1) 大循環のうちで、胃や腸へ分布する動脈から肝臓の静脈

に至るまでのバイパスのような循環経路である。

（2）胃で毛細血管に枝分かれしたり、腸壁で絨毛の毛細血管になったりする。

（3）毛細血管は次第に集まって門脈という1本の動脈になり、そのまま肝臓に入り、再び毛細血管になる。

（4）胃や腸で吸収された栄養物質はそのまま全身へ行かずに、門脈を介して肝臓に運ばれ、そこで人体に最も有効な形に変えられてから、改めて肝静脈を介して心臓に戻る。

問題30 呼吸に関する次の記述の ⬚ に入る語句の組合せとして最も正しいものはどれか。

「吸い込む空気を吸気、吐き出す空気を呼気という。肺では呼吸により酸素を取り込み、入れ替わりに炭酸ガスを出す。この空気と血液の間のガス交換を ⬚ A ⬚ という。酸素の加わった血液と、体内のあらゆる細胞・組織との間で行われるガス交換を ⬚ B ⬚ とよぶ。」

Ⅱ部 模擬試験問題／第2回

　　　　　　A　　　　　　　　B
（1）肺呼吸 ——— 外呼吸
（2）外呼吸 ——— 組織呼吸
（3）組織呼吸 ——— 内呼吸
（4）内呼吸 ——— 外呼吸

【皮膚科学】

問題31 角化細胞の4つの細胞層の表面から順番として正しいものは次のうちどれか。

（1）顆粒層、有棘層、角質層、基底層

（2）有棘層、顆粒層、角質層、基底層

（3）顆粒層、角質層、有棘層、基底層

（4）角質層、顆粒層、有棘層、基底層

問題32 紫外線の照射を受けたときの皮膚の変化について、正しいものは次のうちどれか。

（1）メラニンが大量に消費され、皮膚は赤くなる。

（2）血液の白血球が紫外線を吸収し、紫外線の作用を防ぐ。

（3）角質層が薄くなり、これによって光線を散乱させる。

（4）汗は紫外線をある程度さえぎる力を持っている。

問題33 汗に関する次の記述のうち、正しいものはどれか。

（1）味覚の刺激が知覚神経によって脳髄に伝えられ、発汗をつかさどる中枢が反射的に発汗を行わせるものを精神性発汗とよぶ。

（2）液体として認められるものを温熱性発汗とよぶ。

（3）分泌されるとすぐに蒸発するものを不感知性発汗とよぶ。

（4）夏の暑いときや肉体労働のときに見られる発汗を感知性発汗とよぶ。

問題34 染毛剤（白髪染め）による接触皮膚炎（カブレ）に関する次の記述のうち、誤っているものはどれか。

（1）酸化染毛剤に用いられる酸化染料の中で、パラフェニレンジアミンが最もカブレを起こしやすい。

（2）カブレの原因を見出すには、パッチテストが最も実用的な方法だとされている。

（3）前回まで何回も使用した酸化染毛剤にカブレがなかった

場合であれば、パッチテストをする必要はない。

（4）パッチテストで陰性でも実際に染毛してカブレが起こる
こともある。

問題35 皮膚疾患と関係の深い因子に関する次の組合せのうち、正しい
ものはどれか。

（1）肝斑（シミ）──────────── 女性ホルモン

（2）癤_{せつ} ──────────── 真菌

（3）疣贅_{ゆうぜい}（イボ）──────── 帯状疱疹ウイルス

（4）尋常性毛瘡_{もうそう}（カミソリカブレ）── 男性ホルモン

香粧品化学

問題36 染毛剤に関する次の記述のうち、<u>誤っているもの</u>はどれか。

（1）医薬品医療機器等法（旧薬事法）では、一時染毛料や半
永久染毛料などは化粧品として扱われる。

（2）医薬品医療機器等法（旧薬事法）では、永久染毛剤や脱
色剤は医薬部外品として扱われる。

（3）永久染毛剤のうち、金属製染毛剤や植物性染毛剤はほと
んど用いられていない。

（4）酸化染毛剤に用いられる酸化染料にはアレルギー反応を
起こすものはないため、成分表示の対象になっていない。

問題37 水に関する次の記述のうち、<u>誤っているもの</u>はどれか。

（1）水は多くの種類の物質を溶かす重要な溶媒であり、有機
化合物であるため有機溶媒とよばれる。

（2）水に不純物が多く含まれると、香粧品の品質を低下させることがある。

（3）ミネラルウォーターのような天然水を用いる香粧品も開発されている。

（4）健康な肌の角質層の水分量は、約15〜20％といわれる。

問題38 香粧品に配合される成分とその主な配合目的に関する次の組合せのうち、<u>誤っているもの</u>はどれか。

（1）ヒアルロン酸ナトリウム ──────── 保湿剤

（2）ベンゾフェノン誘導体 ──────── 紫外線吸収剤

（3）パラオキシ安息香酸エステル ─── 防腐剤

（4）ベンザルコニウム塩化物（塩化ベンザルコニウム）
───────────────── 酸化防止剤

問題39 シャンプー剤、リンス剤などに関する次の記述のうち、<u>誤っているもの</u>はどれか。

（1）シャンプー剤の洗浄のための主成分は陰イオン界面活性剤であり、代表的なものは高級アルコール系合成洗剤である。

（2）ふけ防止シャンプーにはジンクピリチオンが付加され、トニックシャンプーにはメントールが付加されている。

（3）ヘアリンス剤の主成分である陽イオン界面活性剤の第四級アンモニウム塩は、キューティクルに吸着して皮膜を形成する。

（4）リンス一体型シャンプーでは、リンス成分として酸性リンスが配合されている。

問題40 身近な物質の pH に関して、pH が小さい順に並んでいるのは
どれか。
（1）酢・しょうゆ・ソース・牛乳
（2）レモン・みかん・りんご・すいか
（3）ソース・しょうゆ・すいか・牛乳
（4）りんご・牛乳・すいか・しょうゆ

・・・・・・文化論及び美容技術理論・・・・・・

問題41 昭和時代の服装に関する次の記述のうち、誤っているものはど
れか。
（1）1925（大正14）年に銀座で行った調査では洋装の女性
は1％だったが、3年後には16％に増加したという調査結果
がある。
（2）東京・日本橋の白木屋百貨店の火事の際に、上層階から
ロープをつたって脱出しようとした女性の何人かが、着物の裾
がめくれるのを押さえようとして転落死したことをきっかけ
に、ズロースが普及したと言われている。
（3）第二次世界大戦になると、軍服をモデルに国民服が作ら
れた。
（4）第二次世界大戦中、「ぜいたくは敵だ」とされ、活動しや
すい服として、もんぺスタイルが男性の中で広がった。

問題42 戦後の昭和時代の服装の流行に関する次の記述のうち、正しい
ものはどれか。
（1）ネズミ色、黒などダークな色が主体であった男性のファッ

ションをカラフルにしようとする動きは、アメトラとよばれた。

（2）トップはセーター、ボトムはアイリッシュツイードのビッグスカート、ブーツを組み合わせて流行したフォークルックというブランドは、三宅一生が設立した。

（3）週刊誌「女性自身」が母体となって創刊された「JJ」は、ニュートラディショナルやハマトラの情報を読者に提供した。

（4）1990年代、東京・渋谷のセンター街から生まれたファッションには、コギャルスタイル、グランジスタイル、渋カジなどがある。

問題43 女性の和装の礼装に関する次の記述のうち、正しいものはどれか。

（1）花嫁が着装する礼装は小袖の上に打掛を重ねたもので、起源は桃山時代の上級武家夫人の正装だと言われている。

（2）女性の礼装は、未婚者の場合は留袖を着用する。

（3）女性の準礼装では未婚者・既婚者の区別はなく、代表的なものは詰袖である。

（4）掻取は長着の別名である。

問題44 シャンプーイングに関する次の記述のうち、正しいものはどれか。

（1）シャンプーに使用する湯の温度は、35℃以下が適温である。

（2）シャンプー前のブラッシングは、根元から毛先に向けて行う。

（3）セカンドシャンプーは大きめの動きでリズミカルに行う。

（4）サイドシャンプーはバックシャンプーに比べ、ネープが洗いやすく、両手でしっかり洗うことができる。

問題45 二浴式・コールドタイプのパーマネントウエーブに関する次の記述のうち、正しいものはどれか。

(1) １剤には過ホウ酸ナトリウムなどの還元剤が配合されている。

(2) １剤に配合されるアルカリ剤は、シスチンの再結合を促す。

(3) ２剤に配合される酸化剤には、臭素酸ナトリウムなどが使われる。

(4) 酸化剤は毛髪を膨潤させ、パーマ剤を浸透させやすくする。

問題46 下図はストロークカットのシザーズの刃先の動きを表したものであるが、この技法に該当するのは、次のうちどれか。

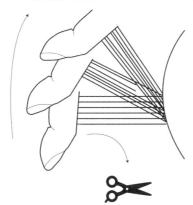

(1) アップストロークカット

(2) ダウンストロークカット

(3) サイドストロークカット

(4) ショートストロークカット

問題47 パーマネントウエーブのプレ処理（前処理）に関する次の記述のうち、誤っているものはどれか。

（1）毛髪をウェットヘアの状態でワインディング後、1剤を塗布する方法を水巻きという。

（2）つけ巻きは、パーマのかかりやすい状態になっている毛髪に対して行う。

（3）トリートメント巻きは、一般的にカラーリングなどがあるところに状況に応じてあらかじめトリートメントを塗布する方法である。

（4）毛先は根元に比べパーマネントウエーブがかかりやすい傾向にある。

問題48 次の図の中で、ストレートアイロンはどれか。

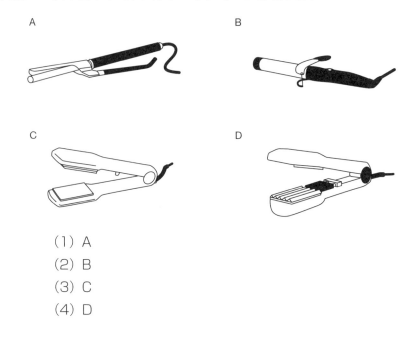

A

B

C

D

（1）A
（2）B
（3）C
（4）D

問題49 スキャルプマッサージ技法の打法（タポートマン）に関する次の記述のうち、正しいものはどれか。

（1）両手の指間を開け、手掌の外側面で軽く交互に叩打することをビーティングという。

（2）手掌をカップ状にくぼませて両手を軽く握り、手の甲で頭、首、肩をリズミカルに叩くことをハッキングという。

（3）指の掌面を用いて、頭をはじくように叩打することをタッピングという。

（4）こぶしで叩打することをビブラシオンという。

問題50 ヘアカラーリングにおける色の基本に関する次の記述のうち、<u>誤っているもの</u>はどれか。

（1）彩度とは色の鮮やかさのことをいう。

（2）最も明度が高いのは白で、最も低いのはグレーである。

（3）カラーサークルの補色同士を混合すると、ニュートラルな茶色になる。

（4）プライマリーカラーをすべて同じ分量で混ぜると、色みを感じない暗いグレーになる。

問題51 まつ毛エクステンションに関する次の記述のうち、<u>誤っているもの</u>はどれか。

（1）美容師が美容所でしか行えない業務である。

（2）装着のときには、目元の保護のため下まぶたに医療用の白いテープを貼る。

（3）グルーは硬化するまでに約24時間かかるため、施術直後に洗顔、入浴等でまつ毛を濡らさないように気をつける。

（4）衛生上、半年程度でリペアが必要となる。

問題52 ストランドカールのベースの種類に関する次の記述のうち、誤っているものはどれか。

(1) アークベースは、コームアウトした際に放射状の広がりができる。

(2) トライアンギュラーベースは、コームアウトした際に割れ目ができない。

(3) パラレログラムベースは、仕上がりが割れやすい。

(4) オブロングベースは、ステムが長く、方向が決めやすい。

問題53 和装小物に該当しないものは、次のうちどれか。
(1) 笄
(2) 末広
(3) 筥迫
(4) しごき

問題54 下図は刃線の形態が異なる３つのレザーである。このうち、力の配分が均等になり、操作が正しく行えるレザーはＡ、Ｂ、Ｃのうちどれか。

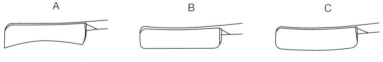

A   B   C

(1) Ｂのみ
(2) ＡとＢ
(3) ＢとＣ
(4) ＡとＣ

問題55 美容の電気器具に関する次の記述のうち、誤っているものはどれか。

（1）ハンドドライヤーは、風が旋回して送り出されるタービネートタイプである。

（2）スタンドドライヤーは、消費電力が1,000W程度のものが多い。

（3）ヘアスチーマーは、蒸気の熱を利用して美容の技術効果を高めるはたらきをする。

（4）電熱式アイロンに内蔵されたサーモスタットは、一定の温度を保つはたらきをする。

Ⅱ部 模擬試験問題／第2回

・・・ 関係法規・制度及び運営管理 ・・・

問題1 美容師の免許に関する次の記述のうち、<u>誤っているもの</u>はどれか。

（1）美容師試験に合格すれば必ず美容師免許は与えられる。

（2）美容師の免許は、一度与えられれば生涯にわたって有効というわけではない。

（3）美容師免許証を紛失し、免許証の再交付を受ける前であっても、美容を業とすることができる。

（4）美容師の免許は、美容師試験に合格した者の申請により、美容師名簿に登録した時点からその効力を生ずる。

問題2 管理美容師に関する次の記述のうち、<u>誤っているもの</u>はどれか。

（1）美容所の開設者は、自ら管理美容師になることができる。

（2）美容師である従業者の数が常時2名以上いない場合には、管理美容師を置く必要がない。

（3）1人の管理美容師が2か所の管理美容師を兼ねることは、開設者が同じ場合に限って許可される。

（4）管理美容師になるためには、美容師の免許を受けてから3年以上美容の業務に従事することが必要である。

問題3 衛生行政に関する次の記述のうち、誤っているものはどれか。

(1) 衛生行政は、国民一般の衛生に関する一般衛生行政、学校の児童や生徒を対象とした学校保健行政、労働者を対象とした労働衛生行政の3つからなる。

(2) すべての衛生行政は厚生労働省がつかさどる。

(3) 一般衛生行政は、公衆衛生行政、医事行政、薬事行政に分類される。

(4) 美容業の指導は公衆衛生行政のなかの生活衛生行政に属する。

問題4 美容と理容の業務に関する次の記述のうち、誤っているものはどれか。

(1) 美容は主として女性を対象とし、理容は主として男性を対象としている。

(2) パーマネントウエーブは美容師法のみに定められているので、理容師がパーマネントウエーブの施術を行うことはできない。

(3) 顔そりは、化粧に付随したものであれば美容師が行ってもさしつかえない。

(4) 手指の整容は美容師も理容師も行ってさしつかえない。

問題5 美容所の開設者が講ずべき措置についての次の記述の[　　　]に入る語句の組合せとして正しいものはどれか。

「美容所の開設者は、美容所につき、次に掲げる措置を講じなければならない。」

一　常に清潔に保つこと。

二　[A]を設けること。

三　　　 B 　　、照明及び換気を充分にすること。

四　その他　 C 　が条例で定める衛生上必要な措置。

	A	B	C
（1）	洗場 ———————	採光 ———————	都道府県
（2）	毛髪箱 ———————	温度調節 ———	市町村
（3）	消毒設備 ———————	採光 ———————	都道府県
（4）	不浸透性材料 ———	温度調節 ———	市町村

問題6　美容所以外の場所における営業に関する次の記述のうち、**誤っているもの**はどれか。

（1）疾病その他の理由により、美容所に来ることができない者に対して美容を行うことは認められるが、身体障害は「その他の理由」には含まれない。

（2）婚礼に参列する者に対してその儀式の直前に出張して美容を行うことができる。

（3）山間僻地で付近に美容所がないような場合は都道府県が条例で定めていれば、出張して美容を行うことができる。

（4）美容所以外の場所であっても、衛生的に業務を行わなければならない。

問題7　美容師に対する業務停止処分に関する次の記述のうち、**誤っているもの**はどれか。

（1）美容所以外の場所で美容の業務を行ったときは業務停止が命じられることがある。

（2）美容師が美容の業務を行うにあたっての衛生措置を講じなかったときは業務停止が命じられることがある。

（3）美容師が伝染性の疾病にかかり、その就業が公衆衛生上不適当と認められるときは業務停止が命じられることがある。

（4）精神の機能の障害により、美容師の業務を適正に行うにあたって必要な認知、判断、意思疎通を適切に行うことができないときは業務停止が命じられることがある。

問題8 雇用保険制度に関する次の記述の ☐ に入る語句として、正しいものはどれか。

「労働者が失業し、賃金が受けられなくなった場合に一定期間所得保障を行う制度として開始された失業保険制度は、現在では雇用保険と名称を変えた。失業したときの所得保障のほか、☐ を受けた場合や雇用の継続が困難になりやすい場合にも給付を行う制度になっている。」

（1）失業保険金

（2）求職活動

（3）介護

（4）教育訓練

問題9 雇用保険の被保険者になる条件として、<u>誤っているもの</u>はどれか。

（1）適用事業所に雇用される者であること

（2）週の所定労働時間が20時間以上であること

（3）継続して31日以上雇用見込みがあること

（4）個人事業主や法人の役員であること

問題10 雇用保険の基本手当の給付に関する次の記述のうち、誤っているものはどれか。

(1) 給付を受けるには、原則として離職日以前2年間に被保険者期間が通算12か月以上あったことが必要である。

(2) 自己都合で退職した場合は、手続き後、2か月の給付制限期間の後に支給が開始される。

(3) 原則として、離職日後6か月以内に受給を終える必要がある。

(4) 基本手当の日額は、賃金日額に給付率を乗じて決定される。

衛生管理
【公衆衛生・環境衛生】

問題11 がんに関する次の記述のうち、正しいものはどれか。

(1) 男性の部位別がん死亡率トップは肺がんである。

(2) 女性の部位別がん死亡率の上位は子宮がんである。

(3) 男女合計の部位別がん死亡率トップは大腸がんである。

(4) 直腸と結腸をあわせて「大腸」としてまとめると、女性の部位別がん死亡率2位は大腸がんになる。

問題12 次の事業のうち、保健所の業務でないものはどれか。

(1) 美容所従事者の労働条件に関すること

(2) 美容所の衛生上の措置に関すること

(3) 食中毒に関すること

(4) 結核・エイズなどの感染症の予防に関すること

問題13 「健康日本21（第2次）」の項目となっていないものはどれか。

  （1）生活習慣病の予防
  （2）労働災害の防止
  （3）健康寿命の延伸
  （4）健康格差の縮小

問題14 衛生害虫と疾病に関する次の組合せのうち、誤っているものはどれか。

  （1）蚊 ——————— デング熱
  （2）ダニ ————— ぜんそく
  （3）ノミ ————— ペスト
  （4）ゴキブリ ——— 日本脳炎

問題15 消毒法の歴史に関する次の組合せのうち、誤っているものはどれか。

  （1）リスター ——————— 化学的消毒法の手術への応用
  （2）シンメルブッシュ ——— 外科用材料の蒸気消毒
  （3）パスツール ——————— 低温殺菌法
  （4）ラバラック ——————— 産褥熱の予防法

【感染症】

問題16 麻しんに関する次の記述のうち、正しいものはどれか。

  （1）別名を三日はしかという。
  （2）1歳から6歳の子どもがもっともかかりやすい。
  （3）トレポネーマが特徴である。
  （4）病原体は細菌である。

問題17 細菌の成分とその割合の組合せとして、誤っているものはどれか。

 （1）水分 ——————————— 約80%
 （2）タンパク質 ——————— 約10%
 （3）糖質・脂質 ——————— 約6%
 （4）DNA ———————————— 約4%

問題18 ウイルスの生活現象に関する次の記述のうち、正しいものはどれか。

 （1）ウイルスは、細菌と同様に人工培地で発育させることができる。
 （2）ウイルスは細菌と違って適応して変異を起こすことはない。
 （3）A型インフルエンザウイルスは、周期的に大きな抗原変異が起きている。
 （4）ウイルスは生きた細胞内では発育することができない。

問題19 感染症の感染源についての次の記述のうち、正しいものの組合せはどれか。

 a：感染し、発病するまでの潜伏期の間に排菌することはない。
 b：発病後、症状がなくなり、一見治ったようにみえるが、完全に菌が体内から消失していない時期の患者を病後病原体保有者という。
 c：感染を起こしているのに排菌せずに、健康者と同じように生活しているものを無症候性病原体保有者という。
 d：B型肝炎は、本人が病原体を保有していることを自覚せずに生活し感染源となることがある。

(1) aとb

(2) bとc

(3) bとd

(4) cとd

問題20 予防接種に関する次の記述のうち、正しいものはどれか。

(1) 狂犬病ワクチンの予防接種は海外渡航時には強制的に実施される。

(2) 予防接種は能動的に免疫を獲得させる方法である。

(3) 予防接種はすべて法律によって強制的に実施される。

(4) ジフテリアは任意の予防接種の対象の感染症である。

【衛生管理技術】

問題21 消毒液の状態に関する次の組合せで誤っているものはどれか。

(1) 溶媒 —— 溶質を溶かしている物質（液体）

(2) 溶液 —— 2種以上の物質が均一に混ざり合って液体を成しているもの

(3) 乳濁液（エマルジョン）
　　　　—— 互いに溶け合わない液体の片方が他方の中に、顕微鏡で見える程度のやや大きい粒子となって分散しているもの

(4) コロイド溶液
　　　　—— ある液体物質の中に、他の物質が極めて大きな粒子となって均一に分散しているもの

問題22 消毒法の種類に関する次の記述のうち、誤っているものはどれか。

（1）熱・紫外線・放射線などによって病原微生物を殺すか除去する方法は物理的消毒法と呼ばれる。

（2）理学的消毒法とは物理的消毒法の別称である。

（3）薬品による消毒法は化学的消毒法と呼ばれる。

（4）アルコール系統の消毒薬としてオキシドールがある。

問題23 消毒薬・消毒液の使用上・保存上の注意に関する次の記述のうち、誤っているものはどれか。

（1）塩素剤は、日光と熱によって分解され効力が弱くなるため、原則として冷暗所に置く。

（2）消毒薬は濃いままだと分解してしまうことが多い。

（3）消毒液について、消毒用エタノールは原則として7日以内に取り替え、それ以外の希釈した消毒液は毎日取り替える。

（4）消毒薬の原液は強い作用をもつものがあるため、取り扱いには注意が必要である。

問題24 大気圧下の蒸気による消毒に関する次の記述のうち、誤っているものはどれか。

（1）消毒器内の蒸気は内部にこもらないで、ふたのすきまから逃げるため、大気圧と同じ1気圧になる。

（2）実際には蒸しタオルの利用が多く、器内の温度を100℃に保つことは難しい。

（3）タオルを畳んで消毒器内に置く場合は蒸気の流れる方向に平行にタオルを並べる。

（4）消毒器内にタオルをすき間なくつめ込んで消毒すること

が大切である。

問題25 毛髪容器などに関する次の記述のうち、正しいものはどれか。
　（1）床に落ちた毛は毛髪容器に入れる必要はない。
　（2）毛髪容器は毛髪を入れやすいため、ふたがないものが好ましい。
　（3）美容所には足踏み式の容器はふさわしくない。
　（4）ネックペーパーや毛取り紙をいれるために、毛髪容器と同様な容器を設けることが望ましい。

保健
【人体の構造及び機能】

問題26 脳に関する次の記述の　　　　に入る語句はどれか。
　「大脳皮質にはしわの深い谷が多く、　　　　とよばれる。これによって、大脳は前頭葉、頭頂葉、後頭葉、側頭葉などに分けられる。」
　（1）灰白質
　（2）白質
　（3）左半球
　（4）脳溝

問題27 消化に関する次の記述のうち、正しいものはどれか。
　（1）膵臓は、胃の横にある大きな丸い臓器である。
　（2）血液中のブドウ糖が多すぎると、肝臓はアルコールを合成して肝細胞に蓄える。

（3）胆汁は胆嚢でつくられる。

（4）胃壁には消化腺があって、塩酸を出すものとタンパク質を分解する消化酵素を出すものがある。

問題28 次の筋のうち、頸部の筋に該当するものはどれか。

- （1）胸鎖乳突筋
- （2）横隔膜
- （3）肋間筋
- （4）三角筋

問題29 次の器官と交感神経の作用の組合せのうち、正しいものはどれか。

- （1）瞳孔 ―――――― 縮小
- （2）消化管 ―――――― 機能亢進
- （3）気管支 ―――――― 収縮
- （4）心臓（心筋）―――― 収縮力増加

問題30 次の器官のうち、循環器系に<u>含まれないもの</u>はどれか。

- （1）心臓
- （2）気管
- （3）血管
- （4）リンパ管

問題31 爪に関する次の記述のうち、正しいものはどれか。

（1）爪の主な成分はケラチンである。

（2）爪に含まれる水分は0.15～0.75％と少ない。

（3）爪にできる縦の溝は数や程度は誰でも共通している。

（4）ビタミンＣが不足すると爪は薄くもろくなる。

問題32 ホルモンに関する次の記述のうち、<u>誤っているもの</u>はどれか。

（1）男性ホルモンは、前頭部と頭頂部の頭髪の発毛を抑制する。

（2）睫毛と眉毛は、ホルモンに影響されない。

（3）副腎皮質ホルモンの分泌が減少し、皮膚全体の色素が増加して黒くなり、血圧が低下し、筋力が弱くなる疾病をアジソン病という。

（4）更年期の男性では、男性ホルモンと女性ホルモンのバランスが乱れ、女性的皮膚の変化が現れる。

問題33 皮膚表面のpHに関する次の記述のうち、正しいものはどれか。

（1）健康な成人の皮膚のpHはpH6.5～8.5の間である。

（2）皮膚のpHに最も影響をあたえるのは化粧品である。

（3）健康な人が化粧品を選ぶときは皮膚と同じpHのものを特に選ぶ必要はない。

（4）アポクリン腺のある部位のpHは他の部位よりも酸性に偏っている。

問題34 アレルギーに関する次の文章の　　　　内に入る組合せとして、正しいものはどれか。

「アレルギー性のカブレはほとんどは　A　により起こり、アレルギー性の蕁麻疹や蕁麻疹型のカブレは　B　により生じる。アトピー性皮膚炎には　C　が関係することがわかってきた。」

	A	B	C
(1)	感作リンパ球	抗体	その両方
(2)	寒冷などの刺激	細菌	感作リンパ球
(3)	温熱	細菌	感作リンパ球
(4)	温熱	原虫	ウイルス

問題35 皮膚の吸収作用に関する次の記述のうち、誤っているものはどれか。

（1）表皮がただれ表皮の防壁がこわれていると、水溶性物質も容易にからだの中に吸収される。

（2）皮膚は、外界からの物質の侵入を防ぐ一方、一定条件のもとでは物質を取り入れる働きも行っている。

（3）角質層の細胞間にある脂質成分がバリアになって、水や水溶性物質の通過を阻んでいる。

（4）経皮吸収は、毛包・脂腺・汗腺を通り真皮に達する皮膚付属器官経路だけで行われる。

香粧品化学

問題36 洗顔用の洗浄剤に関する次の記述のうち、誤っているものはどれか。

（1）多くの洗顔クリームや洗顔フォームの主原料はアミノ酸石けんである。

（2）洗顔クリームには皮膚に対する脱脂作用を緩和するために油性物質が配合されている。

（3）洗顔クリームには保湿剤も配合されている。

（4）古くなった角質層の除去などを目的として、少量のスクラブ剤を配合した洗顔クリームもある。

問題37 香粧品の添加剤に関する次の記述の ____ に入る語句はどれか。

「香粧品には油脂などを原料とするものが多く、酸敗によって変質したり品質低下を招きやすい。これを防止するために、普通、香粧品には ____ が配合されている。」

（1）紫外線吸収剤

（2）酸化防止剤

（3）防腐剤

（4）収れん剤

問題38 香水に関する次の記述のうち、正しいものはどれか。

（1）香水は、基本的にはエタノールに50％程度の香料を溶解させたものである。

（2）香料のうち、合成香料はほとんどが着色している。

（3）天然香料は濃褐色などに着色されているので、脱色してからエタノールに溶解させる。

（4）天然香料の配合量が多い高級香水では衣服にしみを残さないように注意する。

問題39 界面活性剤に関する次の文章の　　　内に入るものはどれか。

「　　　界面活性剤は、溶液中で電離して生じる　　　の部分が界面活性を示すもので、アニオン界面活性剤とも呼ばれる。洗浄力の優れたものが多く、石けんや合成洗剤などはその代表例である。」

（1）陽イオン

（2）陰イオン

（3）両性

（4）非イオン

問題40 シスチンに関する次の記述のうち、誤っているものはどれか。

（1）ケラチンは毛の主要成分であるタンパク質で、シスチンというアミノ酸を多く含んでいる。

（2）シスチンの分子中には構成元素のイオウ原子同士の結合があり、シスチン結合とよばれる。

（3）シスチン結合は、水やpHの影響では簡単に切断せず、酸化剤を作用させないと切断しない。

（4）シスチン結合が切断されて1分子のシスチンから2分子のシステインを生じるが、システインは化学的に不安定なアミノ酸のため、空気などの酸化作用で再びシスチン結合を生じる。

·······文化論及び美容技術理論·······

問題41 男性の和装の礼装に関する次の記述のうち、**誤っているもの**はどれか。

    （1）男性の正式な礼装は、染め抜き五つ紋の黒の着物に、仙台平の縞柄の袴を着用し、染め抜きの五つ紋の黒の羽織を重ねたものである。

    （2）男性の正式な礼装には既婚・未婚の区別はなく、慶弔の違いもほとんどない。

    （3）今日に至るまで広く男性の礼装として受け継がれている紋付き羽織袴は、幕末では武士の準礼装であった。

    （4）仙台平は、江戸時代に仙台藩主の伊達氏が江戸の織工を招いて織物産業の興隆を図ったことから名前がついた。

問題42 次の男性の礼装のうち、メスジャケットはどれか。

（1）   （2）   （3）   （4）

問題43 女性の礼装に関する次の記述のうち、誤っているものはどれ
か。

（1）男性のホワイトタイに対応するのは、イブニングドレス
である。

（2）男性のモーニングに対応するのは、ローブモンタントで
ある。

（3）男性のブラックタイに対応するのは、カクテルドレスで
ある。

（4）宮中晩餐会のような格式の高いところで着用するドレス
は、イブニングである。

問題44 下図はヘアアイロンを表したものである。A に該当する名称
はどれか。

（1）ロッド
（2）スクリュー
（3）グルーブ
（4）ロッドハンドル

問題45 ブラッシングに関する次の記述のうち、誤っているものはどれ
か。

（1）毛髪の汚れを除去する目的がある。

（2）マッサージ効果によって頭皮の新陳代謝を促進し、皮脂

の分泌を促して毛髪の艶や光沢をよくする目的がある。

（3）刺激と快感を与えて美容効果を高める目的がある。

（4）抜けるべき毛髪であっても抜けないように気をつける必要がある。

問題46 テーパーカットに関する次の文章の ▢ **に入る語句の組合せとして正しいものはどれか。**

「レザーをパネルの外側からあててテーパリングを行う方法で、パネルの外側の毛髪が ▢ A ▢ 、パネルの内側の毛髪が ▢ B ▢ ため、毛先が外に跳ねるような軽い動きが生み出される。これを ▢ C ▢ テーパーカットという。」

	A	B	C
（1）	短く	長く	インサイド
（2）	短く	長く	アウトサイド
（3）	長く	短く	インサイド
（4）	長く	短く	アウトサイド

問題47 下図はフルウエーブを表したものである。A、Bに該当する名称の正しい組み合わせは次のうちのどれか。

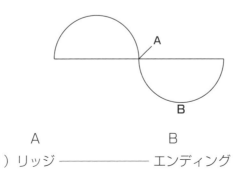

	A	B
（1）	リッジ	エンディング

（2）リッジ ——————— トロー

（3）トロー ——————— リッジ

（4）トロー ——————— エンディング

問題48 ブロードライスタイリングに関する次の文の [   ] に当てはまる語句は次のうちのどれか。

「ブロードライとは、ブローして乾かすことである。ブローとは温風を『吹き付ける』という意味である。ブロードライスタイリングは、熱で毛髪の分子に [   ] を与えてヘアスタイルを形づける技術である。」

（1）タイト感

（2）方向づけ

（3）ボリューム

（4）一時的な変化

問題49 ウェットカッティングに関する次の記述のうち、正しいものはどれか。

（1）濡らすことで毛髪が硬くなる。

（2）濡らすと正確なカッティングはしにくくなるが、毛髪の傷みは最小限に抑えられる。

（3）チェックカッティングも一例である。

（4）シザーズの場合もレザーの場合もヘアカッティングは基本的にウェットカッティングを行う。

問題50 頭皮の性質に関する次の文の [   ] に入る語句として正しいものはどれか。

「健康な頭皮とは、常に適当な [   ] に覆われ、正常な角化作

用の行われている頭皮のことをいう。これに対して、脂性の頭
皮は皮脂の分泌が過剰であり、乾性の頭皮は皮脂の分泌が不足
し、いずれも角化作用がスムーズに行われていない。」
（1）血液
（2）頭皮
（3）皮脂膜
（4）生理機能

**問題51 マニキュアケアに必要な用具に関する次の記述のうち、正しい
ものはどれか。**
（1）グルーとは木の棒のことである。
（2）フィラーとは爪用接着剤である。
（3）シルクラップとは爪の長さを整えるものである。
（4）ネイルバッファーとは爪の表面を磨くものである。

**問題52 アイブロウメイクアップに関する次の記述のうち、正しいもの
はどれか。**
（1）アイブロウペンシルは芯が柔らかいものを選ぶ。
（2）やわらかいイメージにしたいときはアーチ型に描く。
（3）眉の位置や太さを自然にするためには眉をレザーで剃る。
（4）眉頭に近い部分は立体感を出すためにカットする。

問題53 ベールに関する次の記述のうち、誤っているものはどれか。
（1）ダブルロングベールは2枚重ねになったロング丈のベー
ルである。
（2）ダブルショートベールは2枚重ねになったベールであり、
腰までの長さがある。

（3）マリアベールは1枚の薄布を掛けるベールである。

（4）フードベールは洋服のフードのようにかぶるベールで、凛とした感じを演出する。

問題54 ブロードライスタイリングで使うブラシに関する次の記述のうち、誤っているものはどれか。

　（1）スケルトンブラシ ——————— 毛髪を乾かすときに使う。

　（2）ハーフラウンドブラシ —— 毛髪をストレートに伸ばすときや、ボリュームを出したいときに使う。

　（3）ロールブラシ（中・大） —— 毛髪をストレートに伸ばすときに使う。

　（4）ロールブラシ（小） ——————— ブラシのカーブ面を利用して、自然な流れを出したいときに使う。

問題55 まつ毛エクステンションに関する次の記述のうち、誤っているものはどれか。

　（1）上まつ毛は100〜150本、下まつ毛はその半数程度と言われいてる。

　（2）グルーに対するアレルギーは即時型であるため、施術中にお客様に違和感がないかを確認する。

　（3）エクステンションは地まつ毛の根元から1〜2mm程度の位置で止める。

　（4）低刺激のグルーであっても、接触皮膚炎を発病する場合がある。

第4回 模擬試験問題

···· 関係法規・制度及び運営管理 ····

問題1 以下の記述の [   ] に入る語句の組合せで正しいものはどれか。

「美容師法第１条によると、[A] は美容師の資格を定めるとともに、美容の業務が適正に行われるよう規律し、もって [B] に資することを目的とするとされている。」

	A	B
（1）	美容師法施行規則 ―――	美容業界の発展
（2）	美容師法施行令 ――――	円滑な美容行政
（3）	美容師法 ――――――	円滑な美容行政
（4）	美容師法 ――――――	公衆衛生の向上

問題2 美容師試験に関する次の記述のうち、正しいものはどれか。

（1） 美容師試験は厚生労働省が直接行う。

（2） 美容師試験は法の下の平等の観点から、国民であれば誰でも受験できる。

（3） 美容師試験に合格したものは、その時点から美容師になる。

（4） 美容師試験の筆記試験または実技試験のいずれかに合格した者は、申請することによりその合格した試験が免除される

場合がある。

問題3 美容所の設立者の地位の継承についての次の文の[　　]に入る語句はどれか。

「美容所の開設者について相続、合併又は分割（当該営業を承継させるものに限る。）があったときは、相続人（相続人が二人以上ある場合において、その全員の同意により当該営業を承継すべき相続人を選定したときは、その者）、合併後存続する法人若しくは合併により設立された法人又は分割により当該営業を承継した法人は、当該届出をした[　　]を継承する。」

(1) 人
(2) 法人
(3) 全員
(4) 美容所の開設者の地位

問題4 管理美容師に関する次の記述のうち、正しいものはどれか。

(1) 美容師である従業員の数が一時的にでも2名以上になるときには管理美容師を置く必要がある。
(2) 管理美容師を置く目的は美容師の労務管理である。
(3) 美容所の開設者は管理美容師になることはできない。
(4) 開設者が同じであっても、1人の管理美容師が2カ所の美容所の管理美容師を兼ねることはできない。

問題5 次の違法行為のうち、美容師法の罰金が<u>適用されない</u>のはどれか。

(1) 美容師免許がないのに美容の業務を行った場合
(2) 美容所の開設者が届け出をしていない場合

（3）美容師が業務停止処分に違反した場合

（4）環境衛生監視員による検査を忌避した場合

問題6 継続企業の原則に関する次の記述のうち、<u>誤っているもの</u>はどれか。

（1）企業がなくなれば顧客は不便を強いられることになり、企業は顧客に対して事業を継続する責任がある。

（2）従業員は企業から給与を得て生活している。このため、企業の継続が従業員やその家族の生活を支えており、雇用を守る責任は重い。

（3）企業がなくなれば取引先すべてが影響を受けるため、企業には取引先に対する責任もある。

（4）企業は活動を通じて利益を上げ税金を支払うが、これが企業の社会に対する唯一の責任である。

問題7 美容室の利益の仕組みに関する次の記述の　　　　に入る言葉は次のうちどれか。

「美容室の売り上げは、『顧客単価×顧客の数』で求めることができるが、顧客の数は簡単には増えず、顧客単価を上げることも難しい。今日の市場では低価格傾向が強く、原材料が高騰しても、その上昇分を価格転嫁できないのが普通である。そこで、考えなければいけないのが　　　　である。」

（1）変動費

（2）固定費

（3）コスト

（4）スタッフ

問題8　美容所の福利厚生や休暇に関する次の記述のうち、正しいものはどれか。

（1）福利厚生は生活保障的な性格のものが望ましい。

（2）有給休暇は勤続年数にかかわらず認められる。

（3）有給休暇の取得は、盆休み、正月休み、親族の冠婚葬祭などの理由に限られる。

（4）有給休暇の年間に付与される最低日数は10日である。

問題9　マーケティングに関する次の記述のうち、誤っているものはどれか。

（1）マーケティングとは、顧客にサービスを利用してもらい満足してもらうようにするさまざまな活動であり、その組み合わせをマーケティング・ミックスという。

（2）地域立脚型の個人経営店は、限られた地域を対象にさまざまなニーズに対応するため、チェーン店とは異なったマーケティング・ミックスを考える必要がある。

（3）近年はインターネットを利用すれば目立つという考え方がよくみられ、インターネットによるマーケティングがマーケティング・ミックスの中心になる。

（4）チェーン店は特定の価値に魅力を感じる顧客を広い地域から集めることを重視し、サービス内容を特化させている。

問題10　顧客のクレームに関する次の記述のうち、誤っているものはどれか。

（1）美容所で一番多いトラブルは、施術の結果・手法に対する顧客の不満である。

（2）問題を深刻化させているのは一部のクレーマーなどとよ

ばれる特殊な顧客である。

（3）クレーマーは特殊な顧客であり、どの顧客がクレーマーかを把握することが最も大事なことである。

（4）顧客の中には難癖をつけて金品を得ようとする悪意のある人も存在する。

衛生管理

【公衆衛生・環境衛生】

問題11 2020年における日本人の平均寿命に関する次の記述のうち、正しいものはどれか。

（1）女性の平均寿命は88歳を超えている。

（2）男性の平均寿命は80歳を超えている。

（3）男性の平均寿命は世界第2位である。

（4）女性と男性の平均寿命の差は5歳以下である。

問題12 2019年における日本人の主要死因別死亡率について、正しいものはどれか。

（1）食事の欧米化に伴い、心疾患は悪性新生物よりも高い。

（2）大気汚染の改善などを理由に、肺炎の死亡率は第6位以下に下がった。

（3）悪性新生物の死亡率は対10万人で200人を超えている。

（4）脳血管疾患の死亡率は、塩分摂取量の低下により、第10位まで下がった。

問題13 生活習慣病の一つである虚血性心疾患に関する次の記述のうち、誤っているものはどれか。

(1) 狭心症と心筋梗塞がある。

(2) 患者数や死亡者数は年々増加する傾向にある。

(3) 植物性脂肪の過剰摂取が原因の一つである。

(4) 運動不足、喫煙、精神的ストレスは危険因子である。

問題14 アタマジラミに関する次の記述のうち、誤っているものはどれか。

(1) 主に保育園児、幼稚園児、低学年児童に発生する。

(2) 頭皮（表皮）に卵を産む。

(3) 吸血して、かゆみを起こす。

(4) タオルの共用で感染することがある。

問題15 世界保健機関の略称として正しいのは次のうちどれか。

(1) UNICEF

(2) UN

(3) WTO

(4) WHO

【感染症】

問題16 感染症法の三類感染症に関する次の記述のうち、誤っているものはどれか。

(1) 診断した医師は、直ちに最寄りの保健所長を経由して都道府県知事に届けを出す。

(2) 感染している患者は、省令で定める業務に従事してはな

らない。

（3）感染力が高い場合や、症状が重篤になることがある。

（4）結核は三類感染症である。

問題17 ウイルスに関する次の記述のうち、正しいものはどれか。

（1）ウイルスには、球形、四角形、円筒形などさまざまな形のものがある。

（2）ウイルスの発育・増殖は細胞であれば死んだ細胞の中でも行われる。

（3）ウイルスは生活環境に適応して変異を起こすことができない。

（4）ウイルスはグルコン酸クロルヘキシジンをはじめとするほとんどすべての消毒液で簡単に消毒される。

問題18 感染症の種類に関する次の記述のうち、正しいものはどれか。

（1）感染症を感染症法に基づいて分類する方法は病原微生物学的な立場からの分類である。

（2）感染症を、病原体の侵入・媒介経路別に分類する方法もある。

（3）感染症を、病原体の侵入・媒介経路別に分類する方法では、一類感染症、二類感染症などに分類される。

（4）病原体の種別による分類では、呼吸器系感染症、消化器系感染症などに分類される。

問題19 免疫に関する次の記述のうち、正しいものはどれか。

（1）感染症に一度かかると二度とかからないか、かかりにくい性質は先天免疫である。

（2）受動免疫は他の個体で生じた抗体を移入して免疫を獲得することをいう。

（3）予防接種は受動的に獲得する免疫である。

（4）免疫反応を誘導する物質を抗体という。

問題20 季節性インフルエンザに関する次の記述のうち、誤っているものはどれか。

（1）インフルエンザは一般に冬から多くなり、春から夏先に流行する。

（2）インフルエンザは1〜3日の潜伏期のあと、寒気と震えとともに38〜40℃に発熱する。

（3）インフルエンザでは高熱と同時に喉の痛みやせきがでる。

（4）普通は1週間ほどで回復するが、肺炎を併発することがある。

【衛生管理技術】

問題21 殺菌効果に関する次の記述のうち、誤っているものはどれか。

（1）逆性石けんは、結核菌に効果がない。

（2）両性界面活性剤は、結核菌に効果がある。

（3）グルコン酸クロルヘキシジンは芽胞に効果がある。

（4）次亜塩素酸ナトリウムはウイルスに効果がある。

問題22 器具や布片類の消毒法に関する次の記述のうち、誤っているものはどれか。

（1）シザーズやカット用レザーは長時間加熱して消毒すると切れ味が悪くなる。

（2）紫外線消毒では、消毒しようとするものに油などの汚れ
があると作用が弱くなるため、事前に洗剤で洗うなどしてから
照射する。

（3）ブラシは、クッションブラシのように毛の植え方がまば
らなものであっても、紫外線消毒は適さない。

（4）エタノールによる刃物の消毒は切れ味もそこなわず、さ
びも出ないため適している。

問題23 **理学的消毒法に関する次の記述のうち、正しいものはどれか。**

（1）血液が付着した器具の消毒にも、理学的消毒法が可能な
場合がある。

（2）蒸気消毒では2分間以上、80℃を超える湿熱に触れさせ
ればよい。

（3）紫外線消毒では、1平方センチメートル当たり80マイク
ロワット以上の紫外線を20分間以上照射する。

（4）煮沸消毒では沸騰後に1分間以上煮沸する。

問題24 **血液が付着している器具、または、その疑いのある器具の消毒
についての次の記述のうち、正しいものはどれか。**

（1）次亜塩素酸ナトリウムが0.01％以上である水溶液に10
分間浸す方法は利用できるが、両性界面活性剤は利用できな
い。

（2）10分間以上摂氏80℃以上の湿熱に触れさせる蒸気消毒
は利用できる。

（3）エタノール水溶液（エタノールが76.9％以上81.4％以
下の水溶液）に10分間以上浸すか、エタノール水溶液を含ま
せたガーゼで器具の表面をふく方法は利用できる。

（4）グルコン酸クロルヘキシジン水溶液に10分間以上浸す方法は利用できない。

問題25 消毒薬使用液（希釈液）の調製法に関する次の文の [　　　] に入るものとして、正しいものはどれか。

「20％グルコン酸クロルヘキシジン製剤 [　　　] mℓに水を加えて、0.05％グルコン酸クロルヘキシジン水溶液を1000mℓ調製した。」
（1）1
（2）2.5
（3）5
（4）10

保健

【人体の構造及び機能】

問題26 新生児の頭頂部に関する次の記述の [　　　] に入る語句は次のうちのどれか。

「頭蓋骨はほとんどが縫合によって連結しているが、新生児は異なる。頭頂部をみると、心臓からの鼓動が波打っていることがわかる。この部分を [　　　] とよぶ。」
（1）泉門
（2）仙骨
（3）延髄
（4）肋間

問題27 視覚に関する次の記述のうち、誤っているものはどれか。

　　（1）錐体細胞は色を感じる細胞で、支障があると色盲になる。

　　（2）杆体細胞は明暗を感じる細胞で、暗いところでは杆状体^{かん}
　　が網膜表面に出てきて暗さに順応する。

　　（3）毛様体はその筋肉によって水晶体の形を変化させ、距離
　　にあわせる。

　　（4）角膜のまわりには脈絡膜があり、黄斑が豊富なため光は
　　角膜からしか入らない。

問題28 次の血球のうち、血液凝固に深く関与するものはどれか。

　　　　（1）赤血球

　　　　（2）好中球

　　　　（3）リンパ球

　　　　（4）血小板

問題29 肺に関する次の記述の _____ には、「上」か「下」が入るが、
　　そのうち、「下」が入る場所について正しい記述は次のどれか。

　　「肺は心臓をはさんで、右側は3葉に、左側は2葉に分かれて
　　いる。その A 面は横隔膜に接している。また、肺は肺胞
　　の B 皮を通じてガス交換を行う。」

　　　　（1）Aのみ

　　　　（2）Bのみ

　　　　（3）AとB

　　　　（4）いずれにも入らない

問題30 消化器のはたらきは、機械的消化と化学的消化の2つに大別される。次のうち、機械的消化に該当するものはどれか。

(1) 塩酸
(2) 膵液
(3) 嚥下_{えんげ}
(4) 腸腺

【皮膚科学】

問題31 皮膚の構造に関する次の文の　　　　に入る語句の組合せとして正しいのはどれか。

「角質層を形成する細胞の成分は　A　というタンパク質で、20〜30%の水分を含み、酸やアルカリなどの化学薬品や熱、寒冷に抵抗力が　B　。」

　　　　　　A　　　　　　　　　　　　B
(1) ケラチン ── 強いので、外界から身体を守る役割を果たしている。
(2) ケラチン ── 弱く、角質層の細胞間の脂質がケラチンを守っている。
(3) コラーゲン ── 強いので、外界から身体を守る役割を果たしている。
(4) コラーゲン ── 弱く、角質層の細胞間の脂質がコラーゲンを守っている。

問題32 皮膚付属器官の構造に関する記述のうち、正しいものはどれか。

(1) 西洋人の頭毛は自然にウエーブしたり、波状にうねって

いて、波状毛といわれる。

（2）球状毛の断面は円形である。

（3）頭毛は後頭部の毛も、頭頂部の毛も太さは同じである。

（4）睫毛、耳毛、鼻毛以外の毛は、皮膚表面に垂直に生えている。

問題33 皮膚および皮膚付属器官の生理機能に関する次の記述のうち、正しいものはどれか。

（1）腋毛にも立毛筋があるため、鳥肌反応が起こる。

（2）脂腺は毛包にある分泌腺で、脂腺が毛と独立して存在することはない。

（3）爪にできる縦の溝は高齢になるにつれて著しくなる。

（4）小汗腺（エクリン腺）から分泌される汗は、大汗腺（アポクリン腺）から分泌される汗よりも濃い。

問題34 皮膚および皮膚付属器官の保健に関する次の記述のうち、正しいものはどれか。

（1）血中の胆汁色素が増加して皮膚に沈着すると、皮膚が赤くなる。

（2）化膿菌の感染が皮膚などに長期にわたって存在すると、腎臓炎を起こすことがある。

（3）胃腸障害と皮膚の障害は関係がない。

（4）糖尿病と皮膚の障害は関係がない。

問題35 皮膚疾患と病原体に関する次の組合せのうち、誤っているものはどれか。

（1）尋常性疣贅 ─────────── ヒト乳頭腫ウイルス

(2) 口角糜爛症 ——————————— カンジタ
こうかく び らんしょう

(3) 疥癬（ヒゼン） ——————————— ダニ
かいせん

(4) 尋常性毛瘡（カミソリカブレ）—— 帯状疱疹ウイルス
じんじょうせいもうそう

香粧品化学

問題36 二酸化炭素の分子量は次のうちどれか。ただし、炭素の原子量は12、酸素の原子量は16、水素の原子量は1、ナトリウムの原子量は23とする。

(1) 13
(2) 17
(3) 23
(4) 44

問題37 高分子化合物に関する次の記述のうち、<u>誤っているもの</u>はどれか。

(1) デンプンやセルロースは天然に存在する高分子化合物である。

(2) タンパク質は多数のアミノ酸が縮重合してできる高分子化合物である。

(3) アミノ酸は分子内にアミノ基－NH_2とニトロ基－NO_2の両方を持つ化合物である。

(4) ケラチンは、弾力性に富む線維状の硬タンパク質である。

問題38 香粧品原料とその効果に関する次の組合せのうち、正しいものはどれか。

(1) ヒアルロン酸ナトリウム ———— 紫外線防止効果

(2) クエン酸 ———————————— 収れん作用

(3) グリセリド ———————————— 毛髪の帯電防止効果

(4) パラアミノ安息香酸エステル —— 防腐・殺菌作用

問題39 アイメークアップ用香粧品に関する次の記述のうち、<u>誤っているもの</u>はどれか。

(1) アイライナーは、細い線が書きやすく、塗膜の乾燥速度ができる限り速いほうがよい。

(2) マスカラは、塗布後にすみやかに乾燥し、睫毛を互いにくっつけたりせずにカールさせることが必要である。

(3) アイシャドーはマスカラと成分の構成が似ている。

(4) アイライナーもマスカラも化粧落としの際に除去しやすいことが必要である。

問題40 サンケア製品に関する次の記述のうち、正しいものはどれか。

(1) 紫外線のうち、中波長の紫外線 B は、ほとんどが表皮で吸収されて急性の炎症を起こす。

(2) 長波長の紫外線 A は表皮の下層の真皮にまで浸透して、色素沈着を起こすが、これをサンバーンとよぶ。

(3) サンタン製品は紫外線 A を吸収し、紫外線 B を透過する紫外線吸収剤が配合されている。

(4) SPF 値は紫外線 A に対する防御効果の程度を表す数値である。

·····文化論及び美容技術理論·····

問題41　次のイラストは近代女性の主な髪型の一つであるが、その名称として正しいものはどれか。

- （1）西洋上げ巻き
- （2）西洋下げ巻き
- （3）唐人髷
- （4）桃割れ

問題42　戦後男性の主な髪型に関する次の組み合わせで、<u>誤っているものはどれか</u>。

<table>
<tr>
<td>（1）</td>
<td>（2）</td>
<td>（3）</td>
<td>（4）</td>
</tr>
<tr>
<td></td>
<td></td>
<td></td>
<td></td>
</tr>
</table>

- （1）ブロース
- （2）スクエア
- （3）慎太郎刈
- （4）オールバック

問題43 1950年代の西洋の女性の髪型の一つであり、日本でも流行となったスタイルのイラストとして、正しいのは次のうちどれか。

(1)   (2)   (3)   (4)

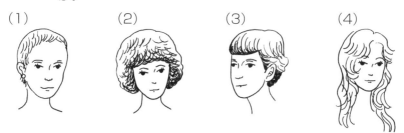

問題44 1970年代以降の女性ファッションに関する次の組み合わせで、誤っているものはどれか。

(1)   (2)   (3)   (4)

    (1) フォークルック
    (2) オリーブ少女
    (3) フィフティーズ
    (4) 竹の子族

問題45 次の男性洋装の礼装のうち、名称として正しいものはどれか。

（1）ディレクターズスーツ
（2）燕尾服
（3）タキシード
（4）モーニングコート

問題46 毛髪が特に傷んだときに現れる障害として<u>誤っているもの</u>はどれか。
（1）光沢が失われる。
（2）乾燥して裂毛になる。
（3）弾力性がなくなる。
（4）ウェーブが出やすくなる。

問題47 スキャルプマッサージ技術の基本手技に関する次の記述のうち、正しいものはどれか。
（1）ストローキングとは、皮膚を押さえながら強くこするこ

とをいう。

(2) フリクションとは、手掌、四指、母指などを用いて、軽くこすることをいう。

(3) ペトリサージュとは、手掌で筋肉を握り、四指と母指を用いてもみほぐすことをいう。

(4) ビブラシオンとは、手掌をカップ状にくぼませ叩打することをいう。

問題48 カッティングに関する次の記述のうち、正しいものはどれか。

(1) 毛髪を濡らして行うカッティングをウェットカッティングという。

(2) ヘアカッティングのことをヘアシェーピングということもある。

(3) 毛髪を濡らすと毛髪が膨潤しやわらかくなり、カッティングしづらくなるので注意が必要である。

(4) シザーズでは髪を濡らしてカッティングすることがあるが、レザーカッティングでは通常、髪は濡らさない。

問題49 パーマネントウエーブの歴史に関する次の記述のうち、正しいものはどれか。

(1) パーマネントウエーブは、1905年にドイツのチャールズ・ネッスラーによって初めて発表された。

(2) 初めて発表されたパーマネントウエーブはマシンレスウエーブであった。

(3) 機械を用いずに化学薬品の加水分解の熱を利用したものをマシンウエーブという。

(4) 現在、広く用いられている方法はヒートウエーブである。

問題50 カールの種類に関する次の記述のうち、正しいものはどれか。

（1）カールのループが頭皮に平らにつくようになっているカールをスタンドアップカールという。

（2）フラットカールは主にボリュームを出すために作られる。

（3）リフトカールはフラットカールの一種である。

（4）リフトカールのループは、スライス線より下がらない位置に収める。

問題51 ウイッグとヘアピースに関する次の記述のうち、<u>誤っているもの</u>はどれか。

（1）ウィッグやヘアピースを用いるヘアスタイルに関心をもつ女性人口は増加している。

（2）頭部全体を覆うものをウイッグ、一部を覆うものをヘアピースという。

（3）ヘアピースには、毛髪の延長として使用するタイプもある。

（4）ウイッグとヘアピースの素材は、いずれも人工毛である。

問題52 毛髪と染毛の関係に関する次の記述のうち、<u>誤っているものは</u>どれか。

（1）太い・硬い毛髪で地毛の色が黒い毛質では、赤み系が出やすい。

（2）細い・軟らかい毛髪で地毛の色が明るい毛質では、黄み系が出やすい。

（3）損傷のある部分では、明るく出にくい。

（4）損傷のある部分の染毛では塗布量を少なめにする。

II部　模擬試験問題／第4回

問題53 ネイルのリペア技術に用いる道具の説明に関する次の記述のうち、誤っているものはどれか。

(1) グルー ——————— シルクなどを爪表面に装着するための接着剤。

(2) フィラー ——————— アクリルパウダー。

(3) シルク ——————— 爪表面のファイリングに使用するもの。

(4) ネイルバッファー —— 爪表面を磨くもの。

問題54 ファンデーションの塗り方に関する次の記述のうち、誤っているものはどれか。

(1) 厚みをつけるためにスポンジを軽く押さえる感じに使うことを、プッシュとよぶ。

(2) 薄く延ばすために、スポンジをすべらせる感じに使うことをストロークとよぶ。

(3) プッシュは主に目や口のまわりに使う。

(4) パッティングは、なじませるために軽いタッチでスポンジを上からはたくようにすることをいう。

問題55 着付けの一般的な要領に関する次の記述のうち、誤っているものはどれか。

(1) 着物を着る目的、場所、季節などを考えて着物を選ぶ。

(2) からだの線を生かし、上品に年齢に応じた着付けをする。

(3) 紋のついている着物は紋が若干隠れるように着付けをするのが上品である。

(4) ひもの結び目が心臓部やミゾオチ等の中心部にあたらないように注意する。

第5回 模擬試験問題

··· 関係法規・制度及び運営管理 ···

問題1 次のうち、都道府県知事、保健所設置市の市長又は特別区の区長が行う事務に含まれるものはどれか。

（1）美容師免許証の交付

（2）美容師試験の実施

（3）美容師に対する業務停止処分

（4）美容師免許の取り消し

問題2 美容師の業務に関する次の記述のうち、誤っているものはどれか。

（1）外国の美容師の資格を持っている者は、日本の美容師の免許がなくても日本国内で美容師名簿に登録することができる。

（2）染毛は、理容師または美容師でなければ業として行うことはできない。

（3）顔そりは、化粧に付随した軽い程度であれば、美容師も行うことができる。

（4）美顔施術は、理容師や美容師でなくても行うことができる場合がある。

問題3　衛生行政を担う行政機関に関する次の記述のうち、**誤っている**ものはどれか。

（1）一般衛生行政に関する中央行政機関は厚生労働省であり、主として生活衛生行政を担当しているのは、医薬・生活衛生局である。

（2）人口動態統計などの統計に関する事項は、保健所の業務に含まれる。

（3）栄養の改善及び食品衛生に関する事項は、保健所の業務に含まれる。

（4）保健所の業務は全国共通であり、地域の実情や設置主体によって異なることはない。

問題4　個人情報の保護に関する法律についての次の記述のうち、正しいものはどれか。

（1）法律が規制対象としているのは、5,000件以上の個人情報を取り扱う事業所に限られる。

（2）美容所が利用者カルテを作成するときは、作成の目的について説明を行う義務はあるが、カルテ項目については説明する必要がない。

（3）利用者カルテを作成するだけであれば、利用者の同意を得る必要はない。

（4）利用者から請求があれば、カルテの開示だけでなく、カルテの破棄も適正に行わなければならない。

問題5　美容師の会に関する次の文章の[　　]内に入る語句の組合わせのうち、正しいものはどれか。

「美容師は、[　A　]を図るため、美容師会を組織して、美容師

の養成並びに会員の指導及び連絡に資することができる。2以上の美容師会は、　A　を図るため、　B　を組織して、美容師の養成並びに会員及びその構成員の指導及び連絡に資することができる。」

	A	B
(1)	美容師間及び美容所間の親睦 ————	連合会
(2)	美容師間及び美容所間の親睦 ————	生活衛生組合
(3)	美容の業務に係る技術の向上 ————	連合会
(4)	美容の業務に係る技術の向上 ————	生活衛生組合

問題6　出張美容に関する次の記述のうち、正しいものはどれか。

（1）出張美容が認められるのは、都道府県等の条例で定めている場合のみである。

（2）美容所に所属している美容師だけが出張美容を行うことができる。

（3）美容出張を行う美容師に対しても、美容の業を行う場合と同等の衛生上必要な措置を講ずることが求められる。

（4）出張美容が認められていない場所で美容の業を行った美容師に対しては、罰金が科せられることがある。

問題7　次の行為のうち、美容師の業に該当するものの組合せはどれか。

A：親が子に対して頭髪を刈ったり、セットしたりする行為

B：無報酬で会社の美容所にて頭髪を刈る行為

C：客が来ないため反復継続していないが、「美容をいたします」との看板を出している行為

D：毎日、自分で化粧をしたり、化粧直しをしたりする行為

（1）Cのみ

（2）BとC

（3）AとC

（4）AとBとC

問題8 **労働安全衛生法に関する次の記述のうち、正しいものはどれか。**

（1）小規模な事業者には、労働者に対する医師による健康診断の実施は義務付けられていない。

（2）事業者には、特定の伝染性の疾病にかかった者の就業を禁止することは義務付けられていない。

（3）事業者には、労働者の健康に配慮して、労働者の従事する作業を適切に管理する義務がある。

（4）事業者には、労働者に対する健康教育、健康相談など健康の保持増進のための措置を実施する努力が求められている。

問題9 **次のうち、労働者災害補償保険の給付に該当するものの組合せはどれか。**

A：育児休業給付

B：介護休業給付

C：療養補償給付

D：遺族補償給付

（1）BとC

（2）CとD

（3）AとCとD

（4）BとCとD

問題10 労働基準法に関する次の記述のうち、正しいものはどれか。

(1) 同居の親族のみを使用している場合、労働基準法は適用されない。

(2) 美容所の使用者は、従業者の意思に反して労働を強制することができる。

(3) 美容所の使用者は、契約の際に従業者に賃金と労働時間を明示すれば、その他の労働条件は明示しなくてよい。

(4) 美容所の使用者は、従業者に一定の休日を与える必要があるが、一定の休憩時間を与える必要はない。

·········· 衛生管理 ··········
【公衆衛生・環境衛生】

問題11 出生と死亡に関する次の A〜D の統計指標のうち、2015年の数値が1980年より増加しているものの組合せはどれか。

A：出生率

B：合計特殊出生率

C：粗死亡率

D：年齢調整死亡率

(1) Cのみ

(2) AとC

(3) BとC

(4) CとD

問題12 喫煙や飲酒に関する次の記述のうち、正しいものはどれか。

(1) 喫煙者は、肺がんや心疾患などの危険性は増すが、膀胱

がんでは特に危険性が増すということはない。

（2）日本の女性の喫煙者率は、他の先進諸国に比べて低率である。

（3）日本のアルコール消費量は、昭和・平成を通じて増加傾向を示していたが、令和に入って減少に転じた。

（4）飲酒に起因する健康障害の代表例はアルコール依存症であるが、アルコール精神病はみられない。

問題13 アタマジラミに関する記述のうち、正しいものの組合せはどれか。

A：頭皮に卵を産む。

B：吸血するのは成虫のみである。

C：櫛やタオルを介して感染することがある。

D：主として、保育園児、幼稚園児、低学年児童に発生する。

（1）AとC

（2）CとD

（3）AとBとC

（4）AとBとCとD

問題14 環境整備に関する次の記述のうち、正しいものはどれか。

（1）カビがアレルギー反応を引き起こすことはない。

（2）ハウスダストの中にはダニの死骸やふんが含まれており、アレルギー反応に関係している。

（3）カビや害虫による被害は、夏だけに起こる。

（4）害虫などの駆除に用いる薬剤は、人には無害である。

問題15 浮遊粒子状物質に関する次の記述のうち、正しいものはどれか。

(1) 浮遊粒子状物質とは、大気中に浮遊する粒子状物質であって、粒径が10マイクロメートル以下のものをいう。

(2) 浮遊粒子状物質に関する環境基準は存在しない。

(3) 浮遊粒子状物質が健康に関係するのは量だけであり、大きさは関係がない。

(4) 浮遊粒子状物質の成分は、粉じんとアスベストだけである。

【感染症】

問題16 B型肝炎に関する次の記述のうち、誤っているものはどれか。

(1) 持続性感染も起こる。

(2) 潜伏期は1～6か月である。

(3) レザーやシザーズによる皮膚の傷からは感染しない。

(4) 母子感染予防には新生児へのワクチン投与が有効である。

問題17 感染と発病に関する次の記述のうち、正しいものはどれか。

(1) 病原体が人体に付着すると、必ず感染する。

(2) 病原体に感染すれば、必ず発病する。

(3) 感染とは、病原体が人体の組織に侵入して増殖することである。

(4) 発病とは、感染した人体の組織や臓器に病的な変化が起こることで、発症とは意味が異なる。

問題18 微生物の形状に関する次の記述のうち、正しいものはどれか。
　（1）桿菌は楕円形である。
　（2）細菌は芽胞、鞭毛などを持つものもあるが、莢膜を持つ
ものはない。
　（3）ウイルスは球形である。
　（4）マイコプラズマは細胞壁を持たない。

**問題19 次の病原体の感染経路のうち、直接伝播に該当しないものはど
れか。**
　（1）接触感染
　（2）水系感染
　（3）しぶき感染
　（4）胎内感染

**問題20 腸管出血性大腸菌感染症に関する次の記述のうち、誤っている
ものはどれか。**
　（1）代表的な腸管出血性大腸菌感染症のO157が最初に検出
されたのは、米国でハンバーガーによる集団食中毒事件の患者
からである。
　（2）潜伏期は、感染後14日程度である。
　（3）O157は、毒力の強いベロ毒素を出す。
　（4）大腸菌は熱に弱く、加熱により死滅する。

【衛生管理技術】

問題21 紫外線消毒に関する次の記述のうち、正しいものはどれか。
　（1）紫外線は、目や皮膚に直接照射を受けても害はない。

（2）血液が付着した器具の消毒に適している。

（3）紫外線消毒器に入れる器具は、重なり合っていても十分
に消毒される。

（4）紫外線灯は、2,000時間〜3,000時間の照射で交換が必
要である。

問題22 次のうち、病原微生物に<u>該当しないもの</u>はどれか。

（1）青カビ

（2）マラリア

（3）結核

（4）クラジミア

問題23 美容所での汚染場所に関する次の記述のうち、<u>誤っているもの</u>
はどれか。

（1）入口のドアの取っ手は、客の手が触れやすく汚染されや
すい。

（2）待合室の雑誌は、多くの人が触れるため汚染されやすい。

（3）床にコームを落としたときは、そのまま使わずに消毒す
る。

（4）待合室の椅子のカバーは、必ず毎日よく洗濯したものと
取り替える。

問題24 美容所の清潔法に関する次の記述のうち、正しいものはどれ
か。

（1）器具や布片が完全に消毒してあれば、棚にほこりが積もっ
ていても問題はない。

（2）洗剤による洗浄法では完全に消毒できないため、美容所

には不要である。

（3）排水管にはトラップを設けて、汚水の逆流や悪臭、虫の侵入を防ぐ。

（4）流しの排水溝を含めて施設は1日1回以上清掃し、用具類の保管場所についても1日1回以上清掃する。

問題25 美容器具類の消毒に関する次の文章の □ 内に入る語句として、正しいものはどれか。

「美容器具類は、十分に洗浄し、汚れを落としてから消毒することによって、消毒の確実性が増す。特に、消毒液使用液の中には、□によって殺菌力が極端に低下するものがあるので、注意が必要である。」

（1）細菌
（2）ウイルス
（3）水
（4）有機物

保健
【人体の構造及び機能】

問題26 次のうち、正中線上にない部位に該当するものはどれか。

（1）鼻背
（2）人中
　　じんちゅう
（3）オトガイ
（4）鼻唇溝

問題27 次のうち、一方向だけに屈曲できる関節に該当する組合せはどれか。

A：球関節
B：鞍関節
C：蝶番関節
D：車軸関節

(1) AとCとD
(2) AとBとC
(3) BとC
(4) CとD

問題28 次のうち、内耳にある平衡器官に<u>該当しないもの</u>はどれか。

(1) 蝸牛
(2) 半規管
(3) 卵形嚢
(4) 球形嚢

問題29 次の胃腸の運動のうち、主として輪状筋収縮で一定の間隔をおいて起こる、腸管を絞るような運動はどれか。

(1) 蠕動運動
(2) 分節運動
(3) 振子運動
(4) 飢餓収縮

問題30 血球のうち、直径が小さい順に並んでいるのは次のうちどれか。

(1) 血小板、赤血球、好中球、単球

（2）血小板、リンパ球、好酸球、赤血球

（3）赤血球、単球、好塩基球、リンパ球

（4）赤血球、血小板、好中球、単球

【皮膚科学】

問題31 頭の皮膚の特徴に関する次の記述のうち、<u>誤っているもの</u>はれか。

（1）厚くて強く、ゴムのようなかたさと弾力を持っている。

（2）全身の皮下脂肪が増えると、頭の皮下脂肪も増える。

（3）頭の皮膚には、血管が多い。

（4）頭の皮膚には、脂腺の数が多い。

問題32 皮膚の感覚と感覚受容器として、正しい組合せはどれか。

A：痛覚 ——————— マイスネル小体

B：温覚 ——————— パチニ小体

C：冷覚 ——————— クラウゼ小体

D：触覚 ——————— メルケル細胞

（1）AとC

（2）BとD

（3）BとD

（4）CとD

問題33 皮膚の保健に関する次の記述のうち、<u>誤っているもの</u>はどれか。

（1）抗しわ療法として、皮膚のたるんだ部分を外科的に切除することがある。

（2）抗しわ療法として、ボツリヌス毒素を用いることがある。

（3）抗しわ療法として、ヒアルロン酸やレチノールを注射することがある。

（4）肝臓障害により血中の胆汁色素が増加して皮膚に沈着すると、皮膚が黄色くなり黄疸となる。

問題34 皮膚疾患の理学療法に関する次の記述のうち、<u>誤っているもの</u>はどれか。

（1）イボなどの治療に、液体窒素による凍結療法が用いられることがある。

（2）尋常性乾癬の治療に、紫外線療法が用いられることがある。

（3）掌蹠膿疱症の治療に、紫外線療法が用いられることがある。

（4）悪性腫瘍の治療に、レーザー療法が用いられることがある。

問題35 尋常性痤瘡（ニキビ）のケアに関する次の記述のうち、正しいものはどれか。

（1）微温湯で石鹸や洗顔料を使い、少なくとも1日3回以上洗顔する。

（2）状態が悪くても、ファンデーションは使用できる。

（3）皮膚が乾燥したら、油性成分の入った保湿剤を使う。

（4）チョコレートやピーナツなどを食べて悪化したら、摂取を避ける。

香粧品化学

問題36 香粧品の定義に関する次の記述のうち、正しいものはどれか。

（1）医薬品医療機器等法には香粧品という語はない。

（2）医薬部外品は医薬品同様、小売販売に許可制度が定められている。

（3）医薬部外品は、すべて香粧品である。

（4）香粧品とは、医薬品医療機器等法で定める化粧品と医薬部外品の総称である。

問題37 香粧品の使用上・取り扱い上の注意に関する次の記述のうち、正しいものはどれか。

（1）ほとんどの香粧品には、使用期限の表示はない。

（2）同じ製品であれば、残り少なくなった容器に新しい製品を継ぎ足ししてよい。

（3）特殊な商品でなければ、香粧品の説明書は読む必要がない。

（4）香粧品は直射日光のあたるところには置かず、温度が低い0℃以下になる場所で保管する。

問題38 まつ毛エクステンション用材料に関する次の記述のうち、正しいものはどれか。

（1）まつ毛エクステンションに用いる材料は、香粧品である。

（2）まつ毛エクステンションに用いる材料は、人体に装着するものであるため医薬品医療機器等法の規制を受ける。

（3）まつ毛エクステンションにおいては、シアノアクリレー

ト系合成接着剤を用いることが多い。

（4）まつ毛エクステンション用のグルーの中でも接着力の強いものはホルムアルデヒドを発生するものが多いが、アレルギー反応は起こすことはない。

問題39 スタイリング剤の分類と種類の組合わせとして、<u>誤っているもの</u>はどれか。

（1）油性スタイリング剤 ——————————— ヘアオイル
（2）液状スタイリング剤 ——————————— ジェル
（3）高分子物質を基剤とするスタイリング剤 — ヘアスプレー
（4）高分子物質を基剤とするスタイリング剤 — ヘアフォーム

問題40 体臭の防止方法に関する次の記述のうち、正しいものはどれか。

（1）強力な収れん剤により、アポクリン腺からの分泌物を分解する微生物の発育・活動を抑制する。
（2）殺菌剤により、毛孔及び汗孔のタンパク質を凝固して閉塞し、発汗を抑制する。
（3）スティック状や粉末状の制汗・防臭剤は、携帯に便利で使用法が簡単である。
（4）制汗・防臭剤に用いられる収れん剤は、パラフェノールスルホン酸亜鉛やアラントインクロルヒドロキシアルミニウムである。

文化論及び美容技術理論

問題41 大正時代の女性の髪型と関連する用語として、正しい組合せはどれか。
    （1）ひさし髪 ——————— 二百三高地髷
    （2）女優髷 ——————— モダンガール
    （3）断髪 ——————— マーセルウエーブ
    （4）耳隠し ——————— 新劇女優

問題42 次の語句のうち、下図の名称として正しいものはどれか。

    （1）マンボズボン
    （2）落下傘スカート
    （3）チューリップライン
    （4）サックドレス

問題43 1960年代から1970年代の男性の髪型に関する次の文章の
　　　　　　　内に入る語句として、正しいものはどれか。

「1960年代後半、日本でブームになったグループサウンズの
ヘアスタイルは長髪であった。1960年代後半のベトナム戦争
反対を含めた反戦活動、大学の管理機構に反対する学生運動な
ど、長髪は体制に対する　　　　　　として対抗文化に属する若者
のシンボルであった。」

（1）マッシュルームカット
（2）アイビールック
（3）コンチネンタルスタイル
（4）アンチテーゼ

問題44 次の語句のうち、下図のレザーの A 部の名称として正しいも
　　　　のはどれか。

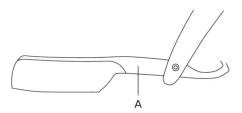

A

（1）刀身
（2）刃元
（3）刀幹
（4）刀首

問題45 リンスとトリートメントに関する次の記述のうち、正しいものはどれか。

（1）石けんを主剤としたシャンプー剤の使用後には、酸性効果のあるリンス剤が適している。

（2）酸性効果のあるリンス剤を使ってリンスすることを、プレーンリンシングとよぶ。

（3）トリートメントはパーマネントウエーブやヘアカラー施術後にのみ行う。

（4）パーマネントウエーブやヘアブリーチ、ヘアカラー施術後は、アルカリ性効果のあるリンス剤が適している。

問題46 錯覚現象に関する次の文章に該当するものとして、正しいものはどれか。

「前髪の切り方一つで目の高さがずれて見える可能性もあり、実践で役立つ効果だということができる。」

（1）ジョバネッリの錯視

（2）枠組み効果

（3）主観的輪郭線

（4）ツェルナー錯視

問題47 下図のパンクスタイルに関する文章の□□□内に入る語句と
して、正しいものはどれか。
「ヘアスタイルは、毛髪という線の集合でできているといえる。
直線の集合でできているヘアスタイルと、曲線の集合でできて
いるヘアスタイルでは大きく印象が異なる。たとえば、下図の
パンクスタイルは□□□直線でできている。」

(1) やわらかい
(2) 短い
(3) 鋭利な
(4) 弱い

問題48 次のうち、オンベースでパネルをシェープしてカットしたヘア
スタイルとして、正しいものはどれか。
(1) ワンレングススタイル
(2) グラデーションスタイル
(3) レイヤースタイル
(4) セイムレングススタイル

問題49 レザーカット技法に関する次の記述のうち、誤っているものは
どれか。

（1）ノーマルテーパーカットは最も一般的なテーパーの技法
で、毛先から1／2ほどをテーパーするカット技法である。

（2）レフトサイドテーパーカットでは、左側が短くなり、右
側が長くなる。

（3）ボスサイドテーパーカットによって、毛先に自由な動き
と軽さが生み出される。

（4）セニングカットは、間引きすることによって毛量調整を
行うカット技法である。

問題50 下図はワインディングのロッドにかかるさまざまな力を表した
ものである。Aの矢印の力として、正しいものはどれか。

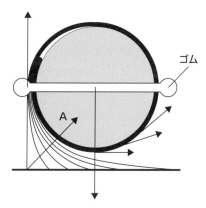

（1）髪につやと美しいウエーブを得るために毛束を引く力

（2）毛束を止めた部分から毛根までの毛が弾力でロッドの重
みに反発する力

（3）ロッドと巻かれた毛の重みの力

（4）ゴムの弾力で毛束を止めておく力

問題51 次のうち、フロントを斜めにワインディングしサイドが斜め後方に流れるスタイルとして、正しいものはどれか。

    （1）ダウンスタイル

    （2）ツイスト＆ロールスタイル

    （3）リバーススタイル

    （4）リーゼントスタイル

問題52 下図は、ヘアウエーブを表したものである。A～D のうち、トローに該当する部分として、正しいものはどれか。

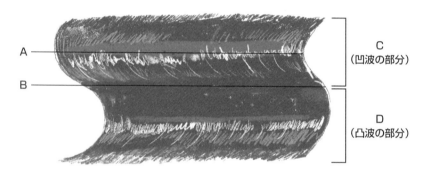

    （1）A

    （2）B

    （3）C

    （4）D

問題53 染毛剤のパッチテストに関する次の記述のうち、誤っているものはどれか。

    （1）染毛剤によるかぶれを防ぐために、施術前には毎回パッチテストを行う。

    （2）テスト液は、1剤と2剤を半々にして混ぜ合わせる。

（3）テスト液を綿棒により、腕の内側に10円硬貨大に薄く塗って自然乾燥させる。

（4）テスト部位の観察は、塗布後30分くらいと48時間の2回は必ず行う。

問題54 まつ毛エクステンションによる接触皮膚炎に関する次の記述のうち、正しいものはどれか。

（1）初回の施術で発病することはない。

（2）過去に発病しなかった物質ではかぶれることはない。

（3）刺激性の場合は片側性のこともある。

（4）アレルギー性の場合は接触した部位にだけ症状が現れる。

問題55 次のうち、下図のAの部分の名称として、正しいものはどれか。

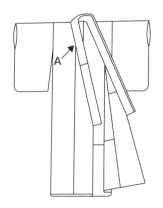

（1）肩山<ruby>かたやま</ruby>

（2）袖山<ruby>そでやま</ruby>

（3）剣先<ruby>けんさき</ruby>

（4）共襟<ruby>ともえり</ruby>

第6回 模擬試験問題

···関係法規・制度及び運営管理···

問題1 美容師の養成と免許に関する次の記述のうち、正しいものはどれか。

（1）美容師試験に合格し美容師名簿の登録を申請すれば、伝染性の疾病にかかっている者であっても免許を与えられる。

（2）美容師試験に合格すれば、無免許で美容の業を行ったことがある者であっても免許を与えられる。

（3）外国で美容を業としていた者であれば、改めて美容師養成施設において必要な知識及び技能を習得する必要はなく、美容師試験に合格すれば、日本で美容師となれる。

（4）理容養成施設または美容師養成施設のいずれか一方を卒業した者が、他方の養成施設で履修する場合、同じ科目であっても履修は免除されない。

問題2 美容師の免許に関する次の記述のうち、誤っているものはどれか。

（1）免許の申請に当たっては、精神の機能の障害に関する医師の診断書を添付する必要がある。

（2）他の都道府県に住所地を変更したとしても、美容師名簿の訂正を申請する必要はない。

（3）業務停止処分になったとしても、処分を行った者に免許証（免許証明書）を提出する必要はない。

（4）免許証（免許証明書）を紛失したとしても、厚生労働大臣（指定登録機関）に免許証の再交付を申請する義務はない。

問題3　美容所の開設者に対する行政処分と罰則に関する次の記述のうち、正しいものはどれか。

（1）環境衛生監視員による立入検査を妨害したときは、美容所の閉鎖処分となることがある。

（2）美容師法に基づく衛生措置を行わなかったときは、罰金に処せられることがある。

（3）美容所開設時における検査確認を受けずに美容所を使用したときは、罰金に処せられることがある。

（4）管理美容師を設置すべき美容所に管理美容師を設置していないときは、罰金に処せられることがある。

問題4　美容師に対する行政処分と罰則に関する次の記述のうち、正しいものはどれか。

（1）美容師が業務停止処分に違反したときは、罰金に処せられることがある。

（2）美容師が精神の機能の障害により業務を適正に行えないときは、業務停止処分になることがある。

（3）美容師の免許の取消処分後に、引き続き美容の業務を行ったときは、罰金に処せられることがある。

（4）美容師が伝染性の疾病にかかり、就業が公衆衛生上不適当と認められるときは、免許が取り消されることがある。

問題5　美容師の運営や衛生に関する法律の次の記述のうち、誤っているものはどれか。

（1）個人情報の保護に関する法律は、個人情報の取扱い件数にかかわらず、すべての事業者が対象となる。

（2）医薬品、医療機器等の品質、有効性及び安全性の確保等に関する法律は、化粧品も規制対象としている。

（3）廃棄物の処理及び清掃に関する法律に基づき、美容所から出される毛髪については産業廃棄物として処理される。

（4）医師法に基づき、医師ではない者が針先に色素を付け皮膚の表面に墨等の色素を入れる行為（アートメイク）を業として行うことは禁止されている。

問題6　労働基準法に関する次の記述のうち、正しいものはどれか。

（1）別居であっても労働者が使用者の親族であるときは、労働基準法は適用されない。

（2）パートタイムの労働者に対しては、年次有給休暇を与えなくてよい。

（3）雇用契約を結ぶときは、労働者に契約期間や賃金等の労働条件を明示しなければならない。

（4）労働時間が6時間を超えるときは、労働時間の途中に少なくとも1時間の休憩時間を与えなければならない。

問題7　生活衛生関係営業の運営の適正化及び振興に関する法律に関する次の記述のうち、誤っているものはどれか。

（1）生活衛生同業組合は、料金等を規制するための標準営業約款を定めることはできない。

（2）厚生労働大臣は、生活衛生関係営業の振興を図るため、

振興指針を定めることができる。

（3）美容業については、東京都のように大きな都道府県の場合は、1つの都道府県に複数の生活衛生同業組合を設立することができる。

（4）全国生活衛生営業指導センターは、経営の健全化を通じて衛生水準の維持向上を図り、利用者・消費者の利益を守るために設置されている。

問題8　税金に関する次の記述のうち、正しいものはどれか。

（1）個人経営の事業者は、毎年1月15日までに税務申告書を税務署に提出しなければならない。

（2）雇用主は、従業員の給与から源泉所得税を預かり、原則として翌月15日までに税務署に納めなければならない。

（3）法人税や個人経営の場合の所得税は、利益が出ていなくても納めなければならない。

（4）申告納税しなければならない者が申告や納税義務を怠った場合、罰則として追加の税が課せられる。

問題9　国民年金制度に関する次の記述のうち、正しいものはどれか。

（1）老齢基礎年金は、保険料納付済期間の長短に関わらず、通算10年以上の受給資格期間があれば、給付額は一定である。

（2）付加保険料を納付することで、付加年金が支給される制度が設けられている。

（3）国民年金の第1号被保険者（自営業者等）の保険料は、所得が高いほど高額である。

（4）遺族基礎年金は、被保険者が死亡したときに、すべての遺族に支給される。

問題10　労働保険に関する次の記述のうち、正しいものはどれか。

（1）雇用保険の給付には、育児休業給付は含まれない。

（2）雇用保険の基本手当は、自己都合で退職し失業したときには支給されない。

（3）労働者災害補償保険の適用事業に雇用される者は、国籍や身分、年齢などにかかわらず適用労働者となる。

（4）労働者災害補償保険では、通勤途上の事故による疾病に対しては保険給付は支給されない。

衛生管理
【公衆衛生・環境衛生】

問題11　母子保健に関する次の記述のうち、正しいものはどれか。

（1）妊娠したことを市町村に届け出ると、希望者に母子健康手帳が交付される。

（2）乳児の生存は、出産前も含めた母体の健康状態の影響を受ける。

（3）医療機関等での妊婦の健康診査は、病気がある妊婦が対象である。

（4）1歳6か月児および3歳児の健康診査では、心身の異常の早期発見や栄養指導が行われ、虫歯の予防は目的ではない。

問題12　糖尿病に関する次の記述のうち、誤っているものはどれか。

（1）1型糖尿病は、生活習慣とは無関係である。

（2）糖尿病は、進行しても網膜症など目の病気には関係ない。

（3）我が国の糖尿病患者数は、2016年で約1,000万人と推

定されている。

（4）インポテンツは、糖尿病の代表的な合併症の１つである。

問題13　室内と照度に関する次の記述のうち、正しいものはどれか。

（1）美容の施術では、部屋全体を明るくする全般照明の照度が必要とされる。

（2）室内の照度が不適当な場合は、近視、眼精疲労、頭痛を起こすことがあるが、作業効率は低下しない。

（3）一般に、日常生活に不自由のない明るさは、100ルクス程度である。

（4）理容所及び美容所における衛生管理要領では、作業中の作業面の照度が100ルクス以上であることが望ましいとされている。

問題14　日本の四季と疾病に関する次の記述のうち、正しいものはどれか。

（1）春には、熱中症のリスクが高まる。

（2）夏には、スギやヒノキの花粉症の患者が多くなる。

（3）秋には、季節性インフルエンザの患者が多くなる。

（4）冬には、ウイルス性食中毒の発生件数がピークとなる。

問題15　一酸化炭素に関する次の記述のうち、誤っているものはどれか。

（1）不快な臭いはしない。

（2）人間の健康に対する影響がある。

（3）空気中には、窒素に次いで多く含まれる。

（4）赤血球のヘモグロビンとの結合力は、酸素より強い。

問題16　次のうち、妊娠中の母体から胎盤を介して胎児に感染することがある感染症の組合せとして、正しいものはどれか。

　　　a：梅毒

　　　b：麻しん

　　　c：ジフテリア

　　　d：細菌性赤痢

　　　(1) aとb

　　　(2) aとd

　　　(3) bとc

　　　(4) bとd

問題17　細菌とウイルスに関する次の記述のうち、正しいものはどれか。

　　　(1) 細菌は、生きた細胞の中だけで発育し、環境中には存在しない。

　　　(2) ウイルスは、変異によって弱毒となるが、強毒となることはない。

　　　(3) 細菌やウイルスが薬剤に対して抵抗性を持つようになることを、耐性の獲得という。

　　　(4) 病原性の強くない常在細菌は、宿主の抵抗力が低下しても発病しない。

問題18　結核に関する次の記述のうち、正しいものはどれか。

　　　(1) 早期症状は、3日以上続くせきである。

　　　(2) 早期発見のために定期の健康診断が行われるが、方法は

聴診でもよい。

（3）美容師が罹患したときは、感染症の予防及び感染症の患者に対する医療に関する法律の就業制限の対象になるわけではない。

（4）年間の新規登録患者数は、近年1,000人程度で推移している。

問題19　次の感染症のうち、空気感染するものはどれか。
　　（1）麻しん
　　（2）細菌性赤痢
　　（3）デング熱
　　（4）ラッサ熱

問題20　ウイルス性肝炎に関する次の記述のうち、誤っているものはどれか。
　　（1）A型肝炎も、B型肝炎やC型肝炎と同じように慢性肝炎に移行する。
　　（2）垂直感染のB型肝炎は、持続性感染になる場合がある。
　　（3）C型肝炎の主な感染経路は、輸血である。
　　（4）A型肝炎の主な感染経路は、経口感染である。

【衛生管理技術】

問題21　美容所で行うべき措置に関する次の文章の　　　に入る語句の組合せとして、正しいものはどれか。
　　「美容師法では、皮膚に接する　A　は、客一人ごとに　B　ことと定められている。また、美容所には　C　を設けなけ

れればならない。」

```
              A                B               C
（1）器具 ─── 取り替える ─── 照明
（2）布片 ─── 消毒する  ─── 消毒設備
（3）器具 ─── 消毒する  ─── 滅菌設備
（4）布片 ─── 取り替える ─── 消毒設備
```

問題22　消毒・殺菌に関する次の記述のうち、正しいものはどれか。

（1）加熱消毒では、蒸気より煮沸のほうが時間は長くかかる。

（2）薬液消毒では、消毒時間は温度に関わらず同じである。

（3）加熱消毒では、同じ時間と温度であれば、殺菌効果は乾熱も湿熱も同じである。

（4）薬液消毒では、殺菌効果の3要素は温度・濃度・時間である。

問題23　消毒に関する次の記述のうち、正しいものの組合せはどれか。

ａ：病原微生物を殺すか除去して、感染力をなくすことを消毒という。

ｂ：微生物を殺さないまでも、発育や作用を止めることを滅菌という。

ｃ：微生物は、栄養や水分の欠乏、熱や紫外線などの物理的影響、薬品などの科学的影響によって死滅する。

ｄ：すべての微生物を殺すか除去して、生きている微生物が存在しない状態にすることを殺菌という。

（1）ａとｂ

（2）ａとｃ

（3）ｂとｃ

（4） bとd

問題24　次の消毒薬水溶液のうち、特異臭があるものはどれか。
　　　　（1） 逆性石けん水溶液
　　　　（2） エタノール水溶液
　　　　（3） 両性界面活性剤水溶液
　　　　（4） 次亜塩素酸ナトリウム水溶液

問題25　消毒用エタノールに関する次の記述のうち、正しいものはどれか。
　　　　（1） 揮発性が弱く、引火性がある。
　　　　（2） 手指や刃物類の消毒に適している。
　　　　（3） エタノールの濃度は、40〜50%である。
　　　　（4） 消毒効果は、逆性石けんと併用すると減弱する。

保健
【人体の構造及び機能】

問題26　口とその周辺に関する次の記述のうち、　　　　に入る語句はどれか。
　　　　「口を外部から観察すると、すぐに見えるのは口唇である。鼻翼の付け根から口角の外側に向けて斜めに下がる八の字形の溝を　　　　と呼ぶ。」
　　　　（1） 人中
　　　　（2） 赤唇縁
　　　　（3） 鼻唇溝

（4）オトガイ唇溝

問題27　次の筋のうち、副交感神経の作用により収縮するものはどれか。
（1）心筋
（2）立毛筋
（3）気管支の平滑筋
（4）皮膚血管の平滑筋

問題28　次の眼の構造のうち、水晶体と網膜で包まれた内腔にある寒天状の透明な物質はどれか。
（1）角膜
（2）虹彩
（3）硝子体
（4）毛様体

問題29　リンパ管に関する次の記述のうち、誤っているものはどれか。
（1）リンパ管は、静脈に似た管で、組織内に網の目をつくり、その末端は閉じている。
（2）リンパ管には、静脈とは違い、リンパの逆流を防ぐ弁はない。
（3）全身のリンパ管は、最終的には左右の本幹に集まる。
（4）左リンパ本幹は、右リンパ本幹に比べはるかに長くて太い。

問題30　次の健康な成人の血液のうち、核のない血球として、正しい
　　　ものの組合せはどれか。
　　　a：単球
　　　b：赤血球
　　　c：血小板
　　　d：リンパ球
　　　（1）aとd
　　　（2）bとc
　　　（3）bとd
　　　（4）cとd

【皮膚科学】

問題31　皮膚と紫外線に関する次の記述のうち、誤っているものはど
　　　れか。
　　　（1）UVA は、紫外線のうち最も波長が長い。
　　　（2）UVB は、UBA に比べて皮膚に対する刺激が強い。
　　　（3）メラニンが産生され、皮膚の色が濃くなることをサンバー
　　　ンという。
　　　（4）皮膚は、雨の日でも快晴の日の30％ほどの紫外線を浴び
　　　る。

問題32　次の感染性皮膚疾患のうち、化膿菌を病原体とするものはど
　　　れか。
　　　（1）伝染性膿痂疹（トビヒ）
　　　（2）疥癬
　　　（3）伝染性軟属腫（ミズイボ）

（4）頭部白癬（シラクモ）
　　　　　　　はくせん

**問題33　次の皮膚付属器官のうち、皮膚表面に垂直に生えているもの
　　　はどれか。**

　　（1）睫毛（まつげ）
　　　　　しょうもう
　　（2）耳毛
　　（3）鼻毛
　　（4）頭頂部の毛

問題34　次の疾患のうち、感染性の皮膚疾患はどれか。

　　（1）ケルズス禿瘡
　　　　　　　　とくそう
　　（2）尋常性乾癬
　　　　　　　かんせん
　　（3）尋常性白斑
　　（4）アトピー性皮膚炎

**問題35　肝臓障害が原因で起こる皮膚変化に関する次の記述のうち、
　　　正しいものはどれか。**

　　（1）かゆみの強い皮膚疾患が現れる。
　　（2）弾力、光沢に乏しい生気のない皮膚になる。
　　（3）皮膚疾患が治りにくくなる。
　　（4）化膿菌や真菌による感染症が起こりやすくなる。

香粧品化学

問題36　香粧品の品質保持に関する次の記述のうち、正しいものはどれか。

（1）香粧品の防腐剤として最も汎用されるのは、パラアミノ安息香酸エステルである。

（2）香粧品の酸化防止剤には、トコフェロール（ビタミンC）がある。

（3）エチレンジアミン四酢酸（エデト酸、EDTA）などの金属イオン封鎖材（キレート剤）が配合される。

（4）香粧品に配合される殺菌剤には、没食子酸プロピルがある。

問題37　アルコールに関する次の記述のうち、正しいものはどれか。

（1）エタノール（エチルアルコール）は、高濃度のときには消毒・殺菌作用を持つが、配合濃度が低いと静菌作用も持たない。

（2）イソプロパノール（イソプロピルアルコール）は独特の臭気がないため、おしぼりなどに汎用される。

（3）メタノール（メチルアルコール）は毒性が強く、視神経障害など中毒症状を起こすおそれがある。

（4）エタノール（エチルアルコール）は、消毒・殺菌のために用いられ、溶媒として用いられることはない。

問題38 香粧品に用いられる成分とその配合目的に関する次の組合せのうち、誤っているものはどれか。
  （1）クエン酸 ——————————— 陰イオン型収れん剤
  （2）塩化アルミニウム ————— 陽イオン型収れん剤
  （3）グリセリン ——————————— 保湿剤
  （4）ヒアルロン酸ナトリウム ——— 紫外線吸収剤

問題39 パーマ剤やヘアカラーの成分とその配合目的に関する次の組合せのうち、誤っているものはどれか。
  （1）アンモニア水 ——————————— アルカリ剤
  （2）レゾルシン ——————————— 調色剤（カップラー）
  （3）パラフェニレンジアミン ——— 染料中間体
  （4）チオグリコール ——————————— 酸化剤

問題40 香粧品原料に関する次の記述のうち、正しいものはどれか。
  （1）ラノリンは、鯨から採取したロウである。
  （2）スクラワンには、深海鮫の肝油から採取したスクワレンを元に作られるものがある。
  （3）ミツロウは、羊の毛から採取したロウである。
  （4）ホホバ油には、あぶらぎった感触がある。

・・・・・・文化論及び美容技術理論・・・・・・

問題41 次の明治時代の女性の髪形のうち、束髪に該当しないものはどれか。
  （1）二百三高地髷

（2）まがれいと

（3）桃割れ

（4）イギリス結び

問題42　明治時代、大正時代の服装に関する次の記述のうち、<u>誤って</u>
<u>いるもの</u>はどれか。

（1）家庭婦人の間で夏の簡易福が流行し、アッパッパと呼ば
れた。

（2）セーラー服とスカートの制服が考案され、大正末から採
用された。

（3）明治時代に、バスガールが登場し、洋装の制服が採用さ
れた。

（4）政府の高官や大学教官など当時のエリートは、背広上下
を取り入れた。

問題43　花嫁の和装礼装に関する次の記述のうち、<u>誤っているもの</u>は
どれか。

（1）懐剣は、帯の左胸下にさす。

（2）小袖の身丈は、引き裾となる丈に仕立てる。

（3）小袖の上につける掛下帯は、丸帯を文庫結びにして、丸
ぐけの帯締めを回す。

（4）色直しは、大振袖の二枚重ねが正式であり、中振袖を着
用することはない。

問題44　コーム各部の名称とその働きに関する次の組合せのうち、
<u>誤っているもの</u>はどれか。

（1）歯元 ―― コームの目に入った毛髪を一線にそろえる。

（2）胴 ── コーム全体の支えとなり、バランスをとる。

（3）歯先 ── 頭皮に接して、毛髪を引き起こす手引きをする。

（4）肩 ── 毛髪を引き起こし、垂直に立てて両側から支え、そろえる。

問題45 下図は、手掌を表したものである。A、B、Cに該当する名称の次の組合せのうち、正しいものはどれか。

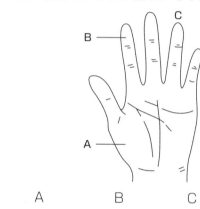

	A		B		C
（1）	小指球 ──	指先 ──	中指
（2）	小指球 ──	指腹 ──	中指
（3）	母指球 ──	指先 ──	環指
（4）	母指球 ──	指腹 ──	環指

問題46 シザーズ操作に関する次の記述のうち、<u>誤っているもの</u>はどれか。

（1）薬指で操作するほうの鋏身を動かす。

（2）母指で操作するほうの刃だけ動かす。

（3）薬指で操作する刃は静刃である。

（4）母指で操作する刃は動刃である。

問題47　デザインに関する次の記述のうち、正しいものはどれか。

（1）ドンディスによれば、人間の左右の目の高さが、対象を覆う黒いマスクの位置のずれによって変化して見える。

（2）ボンゾ錯視は、角度・方向錯視を代表するものである。

（3）ジョバネッリの錯視は、枠組み効果という現象の１つである。

（4）主観的輪郭線とは、同じ長さの線分でも間に線が入ることで長く見えることをいう。

問題48　ヘッドスパに関する次の記述のうち、正しいものはどれか。

（1）毛穴の老廃物はシャンプーで取り除き、ヘッドスパではマッサージを行う。

（2）ヘッドスパでは、５指を使い、手のひらは使わない。

（3）ヘッドスパでは、毛髪診断は行わない。

（4）音、香り、アロマなどを取り込み、リラクセーションを図る。

問題49　刃物の材料に関する次の記述のうち、正しいものはどれか。

（1）炭素鋼は、炭素が約12〜18％含まれている。

（2）ステンレス鋼は、加工性が低下する。

（3）コバルト鋼は、炭素鋼に比べてさびに強い。

（4）コバルト鋼は、コバルトが２％以下含まれている。

問題50　カッティングにおけるパネルに関する次の記述のうち、誤っているものはどれか。

（1）パネルの面を頭皮に対して90度より下の角度で引くことを、アップステムという。

（2）パネルを中央に集めて切った場合は、頭の丸みとは逆の
カットラインになる。

（3）同じ長さのパネルの場合、パネルの幅が広いほうが、カッ
トラインの長さの誤差が大きくなる。

（4）同じ幅のパネルの場合、パネルが短いほうが、カットラ
インの長さの誤差が大きくなる。

問題51　次の毛髪の長さのうち、パーマネントウェーブ技術において
直径12mm のロッドでフルウェーブを形成する場合に必要と
なるものはどれか。

（1）約12.0cm

（2）約11.3cm

（3）約10.2mm

（4）約9.4cm

問題52　マニキュア技術の手順に関する次の記述のうち、<u>誤っている</u>
<u>もの</u>はどれか。

（1）手指消毒は、最初に技術者の手指を消毒した後に、お客
さまの手指を消毒する。

（2）バッフィングは、爪の形と長さを整えることをいう。

（3）マッサージは、キューティクル処理の後に行う。

（4）カラーリングをした後は保湿する。

問題53　ローラーカーリングに関する次の記述のうち、正しいものは
どれか。

（1）毛先を広げて、ストランドを垂直に巻くと、できたウエー
ブは平行な広がりを持ち、応用性に富んだムーブメントが得ら

れる。

（2）生え際で毛髪の立ち上がりを求める場合は、ベースを厚くするとよい。

（3）ストランドの中心を頭皮に対して45度にシェーブしてローラーを巻くと、最もボリュームが出る。

（4）ダウンステムでボリュームを抑える場合は、ベースを薄めにする。

問題54　日本髪結髪用の櫛である月形に関する次の記述のうち、正しいものはどれか。

（1）仕上げに表面の毛の流れを整えるために使う。

（2）全体の仕上げのために使う。

（3）桃割れや銀杏返しなどの輪ものを結うときに、元結を通して使う。

（4）後髷の丸い部分をとかすために使う。

問題55　女性の和装着付けに関する次の記述のうち、正しいものはどれか。

（1）ひもを結ぶ位置は、体の中心をさける。

（2）小柄な人には、帯の幅は広くする。

（3）留袖では、若い人の帯幅は狭めにする。

（4）補正は肌襦袢を着る前に行う。

●編著者紹介

編……JHEC（日本美容教育委員会）
　　近年の美容教育制度改革、美容師試験改革を受けて美容教育のさらなる向上を目的
　　に1999年に設立された任意団体で、JHEC は Japan HairDresser Education Committee
　　の頭文字をとったもの。お問い合わせ、ご質問、ご意見などはメールで受け付けてい
　　ます。
　　●電子メール：ishii@ibcg.co.jp

著……石井　至（いしい　いたる）
　　JHEC（日本美容教育委員会）事務局長。
　　1965年、北海道札幌市生まれ。東京大学医学部卒業、東京大学大学院医学系研究科
　　修士課程修了。外資系金融会社を経て、現在は上記現職の他、石井兄弟社にて、金
　　融ハイテク技術に関するコンサルティング、教育・福祉事業に従事。
　　著作は50冊以上あるが、最新刊は『世界が驚愕　外国人観光客を呼ぶ日本の勝ちパ
　　ターン』（日経 BP）である。

集中マスター
2025-2026年版
美容師国家試験合格対策&模擬問題集

2024年10月30日　　　　初版第1刷発行

編　者　　　JHEC（日本美容教育委員会）
著　者　　　石井　至
© 2024 Japan Hair-Dresser Education Committee ／ Itaru Ishii
発行者　　　張　士洛
発行所　　　日本能率協会マネジメントセンター
〒103‐6009 東京都中央区日本橋2‐7‐1　東京日本橋タワー
TEL　03(6362)4339（編集）／ 03(6362)4558（販売）
FAX　03(3272)8127（編集・販売）
https://www.jmam.co.jp/

装　丁──吉村　朋子
本文DTP─ TYPEFACE
本文イラスト─須山　奈津希・足立　寛哉・TYPEFACE
印刷所──広研印刷株式会社
製本所──東京美術紙工協業組合

本書の内容に関するお問い合わせは、2ページにてご案内しております。

ISBN978-4-8005-9251-4　C3077
落丁・乱丁はおとりかえします。
PRINTED IN JAPAN

徹底マスター　2024-2025年版
美容師国家試験過去問題集

JHEC（日本美容教育委員会）編
石井 至 著

美容師国家試験の筆記試験対策の問題集。第44回〜第47回の過去問題と分野別の過去問題を収録した、筆記試験演習に最適の1冊です。

A5判　208頁＋別冊80頁

日本能率協会マネジメントセンター

ワークと自分史が効く！
納得の自己分析

岡本 恵典 著

納得と自信をもって就職活動に臨み、自分と企業にとって最高の
マッチングをし、幸せな（職業）人生を送るための書。自分史を通じ
た活動のコツを、現役の就活生・面接官の生の声を聞く著者がナ
ビゲートします。

A5判　208頁＋別冊24頁

日本能率協会マネジメントセンター

JMAM の本

改訂版
専門学校生のための就職内定
基本テキスト

専門学校生就職応援プロジェクト　著

専門学校生が就職活動に際して知っておくべき知識とノウハウを
まとめた1冊。ワークシートや別冊の「就職活動ノート」を使って、
就職活動を進めていけるような工夫が満載です。

A5判　168頁+別冊48頁

日本能率協会マネジメントセンター

2025-2026年版

集中マスター
美容師国家試験合格対策&模擬問題集
別冊 解答と解説

II部 模擬試験問題

第1回　模擬試験問題　　解答

試験科目	問題番号	解答番号	試験科目	問題番号	解答番号
関係法規・制度及び運営管理	1	(2)		29	(2)
	2	(3)		30	(3)
	3	(2)		31	(3)
	4	(4)		32	(3)
	5	(4)		33	(2)
	6	(4)		34	(2)
	7	(1)		35	(3)
	8	(1)	香粧品化学	36	(4)
	9	(2)		37	(4)
	10	(2)		38	(4)
衛生管理	11	(1)		39	(2)
	12	(2)		40	(4)
	13	(4)	文化論及び美容技術理論	41	(3)
	14	(2)		42	(4)
	15	(3)		43	(4)
	16	(3)		44	(4)
	17	(3)		45	(2)
	18	(1)		46	(2)
	19	(3)		47	(4)
	20	(1)		48	(1)
	21	(1)		49	(3)
	22	(4)		50	(2)
	23	(3)		51	(4)
	24	(2)		52	(2)
	25	(1)		53	(1)
保健	26	(1)		54	(1)
	27	(4)		55	(2)
	28	(4)			

関係法規・制度及び運営管理

問題1．正解は2番

（1）正しい。法第8条第2号。（2）誤り。美容の業を行う場合に講ずべき措置は、開設者ではなく美容師の義務である。法第8条。（3）正しい。法第8条第2号。（4）正しい。法第8条第3号。

問題2．正解は3番

（1）誤り。美容所の開設者は、身分証明書の提示を求めることができる。法第4条の13第2項。（2）誤り。美容師の衛生措置も検査の対象である。法第14条。（3）正しい。法第18条第4号。（4）誤り。立入検査の対象は美容所だけである。法第14条。

問題3．正解は2番

（1）必要がある。施行規則第3条第1項では施行規則第2条第2号（本籍地都道府県）と第3号（氏名、生年月日、性別）に変更が生じたときには30日以内に名簿の訂正をしなければならないとしている。氏名が変更になった場合は、名簿の変更の申請が必要になる。（2）必要がない。住所は上記の項目に含まれない。（3）必要がある。施行規則第2条第3号。（4）必要がある。3と同じ。

問題4．正解は4番

（1）該当しない。保健所の業務には14項目ある（地域保健法第6条）が、そのうち、第4号「住宅、水道、下水道、廃棄物の処理、清掃その他の環境衛生に関する事項」が美容師法の施行に関する業務になる。具体的には、美容所の開設時の衛生措置の確認（法第12条）や、環境衛生監視員による立入検査（法第14条）は保健所の職員が行う。（2）該当しない。1のとおり。（3）該当しない。1のとおり。（4）該当する。

問題5．正解は4番

A：義務がある。クリッパーは、皮膚に接する器具である。B：義務がある。ロッドは、皮膚に直接接触して用いられる器具である。C：義務がある。マニキュア器具も、皮膚に直接接触して用いられる器具である。D：義務がある。ヘアアイロンも、皮膚に直接接触して用いられる器具である。

問題6．正解は4番

（1）誤り。美容所に関する変更の届出が必要な項目は、開設者の届出事項に

関してのみである（法第11条第2項）。開設者の届出事項は、①美容所の名称と所在地、②開設者の氏名と住所、③管理美容師の氏名と住所、④美容所の構造と設備の概要、⑤美容師の氏名と登録番号、その他従業者の氏名、⑥伝染性疾患があればその旨、⑦開設予定年月日である（施行規則第19条第1項）。営業時間は該当しない。（2）誤り。定休日は該当しない。（3）誤り。美容師に関しては氏名と登録番号だけが変更の届出の対象である。（4）正しい。美容師が退職した場合はその美容師の氏名を削除しなければならず、変更の届出が必要である。

問題7．正解は1番

（1）誤り。株式会社日本政策金融公庫法では、生活衛生関係分野（美容師養成施設など）の事業資金などの貸付事業を行っている。（2）正しい。（3）正しい。（4）正しい。

問題8．正解は1番

（1）誤り。法定納期限までに納付しなかった場合に原則として法定納期限の翌日から納付日までの日数に応じて課される税金を、延滞税とよぶ。（2）正しい。（3）正しい。（4）正しい。

問題9．正解は2番

（1）誤り。厚生年金保険や共済年金加入者は、国民年金にもあわせて加入することになる。（2）正しい。（3）誤り。学生であっても、日本国内居住の20歳以上60歳未満であり、第2号被保険者・第3号被保険者に該当しない者は、第1号被保険者になる。なお、無職の者も同様である。（4）誤り。国民年金の主な給付には、老齢基礎年金のほかに障害基礎年金や遺族基礎年金がある。

問題10．正解は2番

（1）誤り。法人の事業所は、従業員数に関わらず、厚生年金の強制適用事業所になる。なお、法人以外の美容店の場合は、従業員数に関わらず、認可を受けて任意適用事業所になることができる。（2）正しい。（3）誤り。1と同じ。（4）誤り。1と同じ。

衛生管理

【公衆衛生・環境衛生】

問題11. 正解は1番

（1）正しい。（2）誤り。後期高齢者とは、75歳以上の高齢者のことである。（3）誤り。後期高齢者の医療費は、全額、国が負担しているのではなく、国・自治体が50％を負担し、残りの多くは74歳以下の国民が負担しているが、後期高齢者も所得区分に応じた自己負担分がある。（4）誤り。老人保健法は2008年に高齢者医療確保法に改められた。

問題12. 正解は2番

（1）誤り。ペストの大流行で、ヨーロッパ全人口の4分の1が、英国の人口の2分の1が死亡したといわれている。（2）正しい。（3）誤り。種痘法は、ジェンナーによって開発された。（4）誤り。小石川薬草園内に養生所を開設したのは、徳川吉宗である。

問題13. 正解は4番

（1）正しい。2015年の出生数は100万6千人である。（2）正しい。2015年の出生率は8.0である。（3）正しい。（4）誤り。2015年の合計特殊出生率は1.46と、2未満になっている。

問題14. 正解は2番

（1）正しい。（2）誤り。抗帯電性を持つ衣服材料は塵埃や細菌を防ぎ、清潔保持の目的に役立つ。（3）正しい。（4）正しい。

問題15. 正解は3番

（1）誤り。上水に不便がないということは、著しく硬度が高くないことや着色していないことを意味する。水系感染症などの病原体や有害化学物質を含まないことは、必須条件である。（2）誤り。取水→導水→浄水→送水→配水の順である。（3）正しい。（4）誤り。遊離残留塩素量が0.1mg/L以上に保持されるように規定されている。

【感染症】

問題16. 正解は3番

（1）該当する。感染症法の一類感染症と二類感染症は美容業に一定期間従事

してはいけないが、エボラ出血熱は一類感染症である。（2）該当する。結核は二類感染症である。（3）該当しない。A型肝炎は四類感染症である。（4）該当する。ジフテリアは二類感染症である。

問題17. 正解は3番

（1）該当する。就業制限をすることで患者あるいは病原体の保有者と他の人との接触を減らす。（2）該当する。1と同じ。（3）該当しない。交通規制は感染源に関する対策ではなく、感染経路に対する対策にあたる。（4）該当する。

問題18. 正解は1番

（1）誤り。感染とは、人体に侵入した病原体が一定の部位に定着し、拠点をかまえ、増殖する状態のことをいう。単に侵入するだけでは感染とはいわない。（2）正しい。（3）正しい。（4）正しい。

問題19. 正解は3番

（1）誤り。接触感染の定義（前半）は正しいが、接触感染の典型は梅毒などで、マラリアは蚊（媒介物）による感染である。（2）誤り。飛沫感染（しぶき感染）の定義（前半）は正しいが、飛沫感染の典型は百日せき、インフルエンザ、麻しんなどである。エイズは、接触感染、媒介物による感染（輸血）や垂直感染である。（3）正しい。（4）誤り。空気感染（飛沫核感染）は、くしゃみなどで吐き出された飛沫中の、水分がなくなり微小な粒子（飛沫核）となった病原体が空気中を浮遊し、それを吸入することで起こる。

問題20. 正解は1番

（1）誤り。出産直後の環境が劣悪でなくても、生まれてすぐに各種微生物に汚染される。（2）正しい。（3）正しい。（4）正しい。

【衛生管理技術】

問題21. 正解は1番

（1）誤り。芽胞は熱に強く、2～3分の作用では不活化できない。（2）正しい。（3）正しい。殺菌力も増し、金属のさび止め効果もある。（4）正しい。

問題22. 正解は4番

（1）誤り。次亜塩素酸ナトリウムには漂白作用がある。（2）誤り。結核菌

に対して殺菌力はほとんどない。（3）誤り。ノロウイルスの不活化に効果がある。（4）正しい。

問題23．正解は3番

（1）誤り。血液が付着している器具の消毒に使える消毒薬は、エタノールと次亜塩素酸ナトリウム水溶液だけである。施行規則第25条第1号。（2）誤り。10分間以上浸す必要がある。施行規則第25条第2号ヘ。（3）正しい。（4）誤り。グルコン酸クロルヘキシジンは10分間以上浸す必要がある。施行規則第25条第2号ト。

問題24．正解は2番

（1）誤り。逆性石けんは、水溶液中に10分間以上浸す方法だけが認められている。施行規則第25条第2号ヘ。（2）正しい。施行規則第25条第2号ニ。（3）誤り。両性界面活性剤は、水溶液中に10分間以上浸す方法だけが認められている。施行規則第25条第2号チ。（4）誤り。グルコン酸クロルヘキシジンは、水溶液中に10分間以上浸す方法だけが認められている。施行規則第25条第2号ト。

問題25．正解は1番

A：「5」が入る。B：「5」が入る。C：「495」が入る。0.05％使用液500mℓ中の溶質は0.25mℓ（＝500mℓ×0.05％）である。仮に製剤の濃度が5％だとすると、5mℓの製剤の溶質は0.25mℓ（＝5％×5mℓ）になる。両者が同量になるから、水の量が495mℓ（＝使用液500mℓ－製剤5mℓ）となればよい。検算をしてみよう。使用液500mℓ中の「溶質」グルコン酸クロルヘキシジンは、濃度が0.05％だから、500mℓ×0.05％＝0.25mℓとなる。この量の溶質を得るためには、5％製剤であれば（0.25mℓ÷5％＝）5mℓ必要である。したがって、水は495mℓになる。水495mℓに5％製剤5mℓを加えると、500mℓ使用液の濃度は、溶質（5％×5mℓ＝）0.25mℓを500mℓで割ると、0.05％になるから、計算が正しいことがわかる。

保健
【人体の構造及び機能】

問題26．正解は1番

（1）正しい。血漿は主に水分であるが、タンパク質やブドウ糖などを含む。

（2）誤り。血小板は止血作用がある。（3）誤り。白血球は病原菌や異物から身体を守る防御作用などがある。（4）誤り。赤血球はガス交換（酸素の運搬）の役割をする。

問題27．正解は4番

（1）誤り。骨膜は、骨の外表面を包む硬くて丈夫な膜である。（2）誤り。緻密質は、骨の外郭を作る周囲の硬い部分で、骨膜の内側にある。（3）誤り。黄色骨髄は、造血作用を失った骨髄である。（4）正しい。

問題28．正解は4番

（1）正しい。赤唇縁は、口唇の解剖学用語である。（2）正しい。オトガイ唇溝は、下唇とオトガイの間にある。（3）正しい。鼻唇溝は口角の外側と鼻翼のつけ根を結ぶ、八の字形の溝である。（4）誤り。人中は、上唇の正中線を上下に走る溝であり、オトガイ（顎）とは関係ない。

問題29．正解は2番

（1）誤り。広背筋は背部の筋である。（2）正しい。（3）誤り。三角筋は上腕の筋である。（4）誤り。縫工筋は下肢（足）の筋である。

問題30．正解は3番

（1）誤り。門脈は静脈である。大動脈から胃や腸で毛細血管に枝分かれをして栄養分を吸収したのち、これらの毛細血管が集まって門脈になり、肝臓に入る。（2）誤り。動脈とは心臓から出ていく血液が流れる血管の総称である。動脈という名前がついて、動脈血（酸素を多く含んだ鮮紅色の血液）が流れない唯一の動脈が肺動脈である。肺動脈は右心室から肺に向かって血液が流れるが静脈血（酸素が少ない暗赤色の血液）である。（3）正しい。肺静脈は、静脈（心臓へ向かう血液が流れる血管の総称）という名前がついて、唯一動脈血が流れる血管である。（4）誤り。肺静脈以外の静脈には静脈血が流れている。

【皮膚科学】

問題31．正解は3番

（1）誤り。皮膚小溝とは皮膚の表面に無数にある細かいくぼみのことをいう。（2）誤り。皮膚小稜とは皮膚表面に無数にある細かい高まり（丘）のことをいう。（3）正しい。皮野とは皮膚小溝が作る大小さまざまな網の目のこ

とをいう。（4）誤り。指腹とは指先のことをいう。

問題32. 正解は3番

（1）誤り。成人の平均的な頭毛数は約10万本である。（2）誤り。頭毛の太さはおよそ0.1mmである。（3）正しい。（4）誤り。中心部から毛髄質、毛皮質、毛小皮の順である。

問題33. 正解は2番

（1）誤り。脂腺の発育は男性ホルモンの影響を強く受ける。（2）正しい。（3）誤り。脂肪膜は皮膚の表面にある。（4）誤り。脂肪膜は弱酸性を示すので、酸膜ともよばれる。

問題34. 正解は2番

（1）正しい。（2）誤り。油性のふけ症の人は、よくシャンプーして汚れやふけを落とすことが大切である。（3）正しい。（4）正しい。

問題35. 正解は3番

（1）正しい。（2）正しい。（3）誤り。染毛剤で一度かぶれると、どんなに低濃度であっても必ずかぶれる。（4）正しい。

香粧品化学

問題36. 正解は4番

A：「水酸化ナトリウム」が入る。油脂にアルカリを加えて加水分解する化学反応を「けん化」というため、A・Bともにアルカリが入る。シンデットバーとは、界面活性剤を固めた合成石けんで、硬水が多い欧米で使われる石けんである。アシルグルタミン酸塩も界面活性剤の一種である。B：「水酸化カリウム」が入る。水酸化ナトリウムで作った石けんは硬く、水酸化カリウムで作った石けんは軟らかい。

問題37. 正解は4番

A：該当する。パーマネントウエーブ用剤は医薬品医療機器等法第2条第2項第1号に該当する。B：該当する。いびき防止薬や整腸薬などは、従来は医薬品であったが、規制緩和によって医薬品医療機器等法第2条第2項第3号によって、医薬部外品になった。C：該当する。D：該当する。

問題38. 正解は4番

（1）正しい。酸化鉄は無機顔料の中の着色顔料である。（2）正しい。亜鉛

華（酸化亜鉛）は無機顔料の白色顔料である。（3）正しい。レーキはタール色素（有機合成色素）の一つである。（4）誤り。雲母チタンは光輝性顔料であり、タール色素ではない。

問題39. 正解は2番

（1）正しい。O／W型は油性成分の割合が10%～75%であるのに対し、W／O型は50%～85%である。（2）誤り。化粧品の表示に関する公正競争規約によれば、油分50%以上のものを油性クリームという。（3）正しい。消失する（Vanish）感じがあるのが名前の由来である。（4）正しい。エモリエント（柔軟にするという意味の英語）クリームと一般によばれるものは中油性クリーム（油分が30%～50%）である。

問題40. 正解は4番

（1）正しい。モクロウ（ハゼノヒの果皮）はロウとつくが、ロウ類ではなく、植物性の油脂である。（2）正しい。ホホバ油は油とつくが、油脂ではなく、植物性の液体ロウである。（3）正しい。（4）誤り。キャンデリラロウは、キャンデリラ植物の茎から得られる植物性の固体ロウである。

文化論及び美容技術理論

問題41. 正解は3番

（1）正しい。（2）正しい。（3）誤り。明治時代の女性の洋装は、男性に比べ一般的ではなかった。（4）正しい。

問題42. 正解は4番

（1）誤り。モボはモダンボーイの略で、大正時代末から昭和時代の始めにかけて出現したスタイルである。（2）誤り。モガはモダンガールの略で、大正時代末から昭和時代の始めにかけて出現したスタイルである。（3）誤り。鹿鳴館は、明治時代の上流階級の社交場の名称である。（4）正しい。

問題43. 正解は4番

（1）正しい。（2）正しい。（3）正しい。（4）誤り。女性の洋装が定着したのは関東大震災（大正12年）以降である。

問題44. 正解は4番

（1）誤り。安定した姿勢をとるためには、技術者の重心から下した垂線が両足に囲まれた領域内にあることが必要である。（2）誤り。疲労時には下肢を

マッサージして、下肢の血液循環をよくすることが大切である。（3）誤り。パーマネントウエーブ技術では、施術部位に正対して、お客様の頭部が技術者の心臓の高さになるように椅子を合わせる。（4）正しい。

問題45．正解は2番

（1）正しい。（2）誤り。タービネートタイプの方がドライイングの能率が高い。（3）正しい。（4）正しい。

問題46．正解は2番

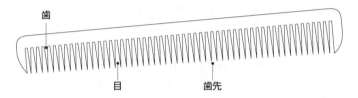

（1）誤り。図のとおり。（2）正しい。（3）誤り。図のとおり。（4）誤り。歯の間隔が密なところと粗いところがあるコームの場合は、歯が粗いところを粗歯というが、この図では歯の間隔は一定なので粗歯は存在しない。

問題47．正解は4番

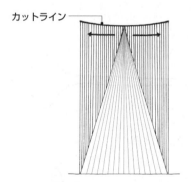

（1）誤り。図のとおり頭の丸みと逆のカットラインになる。（2）誤り。1と同じ。（3）誤り。1と同じ。（4）正しい。

問題48．正解は1番

（1）正しい。（2）誤り。トリミングカットは、カッティングされたラインをさらにカットし、修整して仕上げるカット技法である。（3）誤り。ブラン

トカットは、毛髪を直線でブツ切りするカット技法で、最も基本的な切り方である。（4）誤り。ポインティングカットは、毛先を尖らせたり、軽くしたりするカット技法である。

問題49.　正解は3番

（1）誤り。スキップウエーブとは、フィンガーウエーブとスカルプチュアカールが交互に配置されたものをいうが、どちらが先でもよい。（2）誤り。右巻きと左巻きのカールが交互に配置されているわけではない。（3）正しい。（4）誤り。ハーフウエーブを巻く方向が同じ2つ以上のピンカールから構成されているわけではない。

問題50.　正解は2番

（1）正しい。（2）誤り。脂性肌の場合は、油分の少ないオイル（クリーム）を使い、量も多すぎないように注意する。（3）正しい。（4）正しい。

問題51.　正解は4番

（1）誤り。唇を鋭角的に描くときは、下唇は口角から中央に向かい、直線的なラインを描く。（2）誤り。リップブラシは、口角から中央に向かって描きはじめる。（3）誤り。口紅は上唇と下唇の口角できちんとつながる必要がある。（4）正しい。

問題52.　正解は2番

（1）誤り。図のとおり。

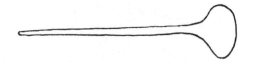

（2）正しい。（3）誤り。図のとおり。

（4）誤り。図のとおり。

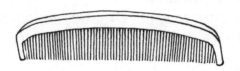

問題53. 正解は1番

（1）正しい。（2）誤り。ひもを結ぶ位置は体の中心をさける。（3）誤り。小柄な人には帯の幅は狭くする。（4）誤り。体形補整は肌襦袢を着た上に行う。

問題54. 正解は1番

（1）正しい。（2）誤り。グルーは硬化までに約24時間かかるため、最低でも5〜6時間は高温・多湿の環境は避ける。（3）誤り。アレルギー反応は、即時型と遅延型があり、施術後すぐに現れる場合もある。（4）誤り。技術の良さやアフターケアの差で違ってくるが、通常は2〜3週間持つ。

問題55. 正解は2番

（1）誤り。色の基本の3色は赤・黄・青である。（2）正しい。（3）誤り。補色は、カラーサークルで対極に位置する色である。（4）誤り。彩度は色の鮮やかさのことをいう。

第2回　模擬試験問題　　解答

試験科目	問題番号	解答番号	試験科目	問題番号	解答番号
関係法規・制度及び運営管理	1	(3)		29	(3)
	2	(2)		30	(2)
	3	(1)		31	(4)
	4	(3)		32	(4)
	5	(4)		33	(3)
	6	(4)		34	(3)
	7	(1)		35	(1)
	8	(3)	香粧品化学	36	(4)
	9	(1)		37	(1)
	10	(2)		38	(4)
衛生管理	11	(1)		39	(4)
	12	(1)		40	(3)
	13	(2)	文化論及び美容技術理論	41	(4)
	14	(2)		42	(3)
	15	(1)		43	(1)
	16	(4)		44	(2)
	17	(1)		45	(3)
	18	(4)		46	(2)
	19	(4)		47	(2)
	20	(2)		48	(3)
	21	(2)		49	(3)
	22	(1)		50	(2)
	23	(1)		51	(4)
	24	(1)		52	(3)
	25	(4)		53	(1)
保健	26	(4)		54	(3)
	27	(1)		55	(1)
	28	(2)			

関係法規・制度及び運営管理

問題１．正解は３番

（１）誤り。美容所の閉鎖を命ずることができるのは都道府県知事である。法第15条第１項。（２）誤り。免許を取り消すことができるのは厚生労働大臣である。法第10条第３項。（３）正しい。法第15条第１項。（４）誤り。美容所の閉鎖を命ずることができ、意見陳述の機会を与えなければならないのは都道府県知事である。行政手続法第13条。

問題２．正解は２番

（１）適用されない。業務停止処分違反の場合は免許が取り消される。法第10条第３項。（２）適用される。法第18条第２号。（３）適用されない。美容所に必要な措置を講じなかった場合は美容所が閉鎖される。法第15条第１項。（４）適用されない。管理美容師を置かなかった場合は美容所が閉鎖される。法第15条第１項。

問題３．正解は１番

Ａ：「知識及び技能」が入る。法第４条第１項。Ｂ：「厚生労働大臣」が入る。法第４条第２項。

問題４．正解は３番

ａ：正しい。法第13条第４号。ｂ：誤り。管理美容師を置く要件は法第12の３第１項に「美容師である従業者の数が常時二人以上である美容所」であると定められている。条例で規定するわけではない。ｃ：誤り。施行規則第19条で定められている。ｄ：正しい。法第８条第３号。

問題５．正解は４番

（１）誤り。器具の消毒などの衛生上必要な措置は美容師に義務付けている（法第８条）。美容所を清潔に保つなどの措置は開設者に義務付けている（法第13条）。（２）誤り。後半が誤り。（３）誤り。前半が誤り。（４）正しい。

問題６．正解は４番

（１）誤り。環境衛生監視員の立入検査をさせるのは都道府県知事である。法第14条第１項。（２）誤り。環境衛生監視員が立ち入ることができるのは美容所のみである（法第14条第１項）。美容所の開設者の住居には立ち入ることはできない。（３）誤り。環境衛生監視員の権限は犯罪捜査には使えない。法第14条第２項、第４条の13第３項。（４）正しい。法第18条第４号。

問題7. 正解は1番

（1）誤り。生活衛生関係営業の運営の適正化及び振興に関する法律（生衛法）第57条の3で都道府県生活衛生営業指導センターを規定しており、その事業の一つに「消費者の苦情処理」がある。同法第57条の4第2号。（2）正しい。料金の制限についての規定はある（同法第8条第1号）が、統一料金については規定していない。（3）正しい。同法第54条第5号。（4）正しい。同法第57条の12。

問題8. 正解は3番

（1）正しい。（2）正しい。（3）誤り。全国健康保険協会の保険料率は都道府県で異なる。（4）正しい。

問題9. 正解は1番

（1）誤り。健康保険の一部負担金は原則として3割である。（2）正しい。（3）正しい。（4）正しい。

問題10. 正解は2番

（1）正しい。（2）誤り。第1号被保険者は市町村の区域内に住所を有する65歳以上の者である。（3）正しい。（4）正しい。

衛生管理
【公衆衛生・環境衛生】

問題11. 正解は1番

（1）正しい。（2）誤り。自殺は2020（令和2）年における10〜39歳の死因の第1位である。（3）誤り。うつ病は、感情、意欲、思考のみならず身体にも症状が現れる。（4）誤り。睡眠時間には、自分にあった睡眠時間があり、8時間にこだわるべきではない。

問題12. 正解は1番

（1）正しい。母子手帳は市町村から交付される。母子保健法第16条第1項。（2）誤り。妊産婦は健康診断で保健指導が必要だと判断されると、助産師や保健師の訪問による保健指導を受けることができる。母子保健法第17条第1項。（3）誤り。妊娠高血圧症候群では高血圧のほかむくみやタンパク尿などの症状も見られる。（4）誤り。労働基準法にも第6章の2に妊産婦についての規定がある。

問題13. 正解は2番

（1）正しい。（2）誤り。防虫の目的で使用される薬剤はオイラン、ミチンなどである。有機水銀化合物は防菌、防カビの目的で使用される。（3）正しい。（4）正しい。

問題14. 正解は2番

（1）正しい。（2）誤り。浮遊粒子状物質の粒径は10μm以下である。（3）正しい。（4）正しい。

問題15. 正解は1番

（1）誤り。休日に遅くまで寝ると夜型化が促進されるため、体内時計のリズムにとってよくない。（2）正しい。（3）正しい。（4）正しい。

【感染症】

問題16. 正解は4番

（1）正しい。酸素があると発育できない嫌気性菌というものもある。（2）正しい。多くの細菌の最適pHは中性か弱アルカリ性である。（3）正しい。（4）誤り。すべての細菌の発育には水が必要である。

問題17. 正解は1番

（1）正しい。（2）誤り。結核は二類感染症である。（3）誤り。デング熱は四類感染症である。（4）誤り。梅毒は五類感染症である。

問題18. 正解は4番

（1）誤り。コレラの病原体は細菌である。（2）誤り。結核の病原体は細菌である。（3）誤り。狂犬病の病原体はウイルスである。（4）正しい。

問題19. 正解は4番

（1）誤り。急性灰白髄炎（ポリオ）の潜伏期は7〜12日である。数時間から5日以内の潜伏期はコレラである。（2）誤り。急性灰白髄炎（ポリオ）の病原体はウイルスである。（3）誤り。飼い犬を常時庭内につなぐことが予防対策として有効なのは狂犬病である。（4）正しい。

問題20. 正解は2番

（1）正しい。そのため定期の予防接種が大切となる。（2）誤り。風しんの別名は三日ばしかである。（3）正しい。（4）正しい。

問題21. 正解は2番

A:「皮膚に接する器具」が入る。B:「クッション」が入る。クッションブラシは毛の植え方がまばらなため、紫外線消毒が適している。

問題22. 正解は1番

（1）該当する。（2）該当しない。▲にあたる。縦置きのほうが横置きよりも蒸気がよく浸透する。（3）該当しない。■にあたる。かたく絞ったタオルをかたいまま置くと蒸気の浸透が遅い。（4）該当しない。×にあたる。かたく絞ったタオルをかたく巻いたまま横置きすると一番蒸気の浸透が遅い。

問題23. 正解は1番

（1）正しい。紫外線消毒は20分間以上である。施行規則第25条第2号イ。（2）誤り。施行規則第25条第1号ロ、第2号ニ。（3）誤り。施行規則第25条第1号ハ、第2号ホ。（4）誤り。施行規則第25条第2号ヘ。

問題24. 正解は1番

（1）正しい。芽胞を不活性化できる数少ない消毒方法が紫外線消毒である。（2）誤り。芽胞は熱に強い。（3）誤り。逆性石けんは芽胞に対して効力がない。（4）誤り。グルコン酸クロルヘキシジンは芽胞に対して効果がない。

問題25. 正解は4番

a：誤り。熱は革製品の材質を損ないやすい。b：誤り。薬液も革製品の材質を損ないやすい。c：正しい。あらかじめ表面の汚れを拭き取った後、紫外線消毒するのがよい。d：正しい。

保健

【人体の構造及び機能】

問題26. 正解は4番

（1）正しい。（2）正しい。（3）正しい。（4）誤り。脊髄は神経系である。感覚器系には、耳・眼・舌・皮膚などがある。

問題27. 正解は1番

（1）正しい。（2）誤り。大胸筋は体幹・胸部の筋である。（3）誤り。横隔膜は体幹・胸部の筋で呼吸運動にたずさわる。（4）誤り。三角筋は上腕の筋

である。

問題28. 正解は2番

（1）誤り。自律神経は、内分泌器系とも協調しながら活動する。（2）正しい。（3）誤り。自律神経は交感神経と副交感神経に分けられる。知覚神経と運動神経は体性神経に属する。（4）誤り。闘争の神経で活力を高めるのは交感神経である。

問題29. 正解は3番

（1）正しい。（2）正しい。（3）誤り。門脈は静脈である。あとは正しい。（4）正しい。

問題30. 正解は2番

A：「外呼吸」か「肺呼吸」が入る。B：「組織呼吸」か「内呼吸」が入る。

【皮膚科学】

問題31. 正解は4番

（1）誤り。角化細胞の4つの細胞層は、表面から順に、角質層、顆粒層、有棘層、基底層となる。透明層とあわせて、格＝角質層、闘＝透明層、家＝顆粒層、ゆう＝有棘層、き＝基底層の語呂合わせで「格闘家ゆうき」と覚える。（2）誤り。1と同じ。（3）誤り。1と同じ。（4）正しい。

問題32. 正解は4番

（1）誤り。紫外線照射を受けて、メラニンが大量に作られ、色が黒くなる。（2）誤り。血液の色素のヘモグロビンが紫外線を吸収し、紫外線の作用を防ぐ。（3）誤り。紫外線照射で角質層は厚くなる。（4）正しい。

問題33. 正解は3番

（1）誤り。味覚の刺激による発汗は味覚性発汗とよばれる。（2）誤り。液体として認められるものは感知性発汗とよばれる。（3）正しい。（4）誤り。夏の暑いときや肉体労働のときに見られる発汗は温熱性発汗とよばれる。

問題34. 正解は3番

（1）正しい。（2）正しい。（3）誤り。酸化染毛剤のカブレは症状が強いため、施術のたびにパッチテストを行う。（4）正しい。

問題35. 正解は1番

（1）正しい。（2）誤り。癤は化膿菌が原因である。（3）誤り。疣贅はヒト

乳頭腫ウイルスが原因である。（4）誤り。尋常性毛瘡は化膿菌が原因である。

香粧品化学

問題36. 正解は4番

（1）正しい。（2）正しい。（3）正しい。（4）誤り。代表的な酸化染料であるパラフェニレンジアミンはアレルギー性のカブレを起こすことがあり、酸化染料は成分表示の対象とされている。

問題37. 正解は1番

（1）誤り。水は炭素を含まない無機化合物であるため、無機溶媒とよばれる。（2）正しい。（3）正しい。（4）正しい。

問題38. 正解は4番

（1）正しい。（2）正しい。（3）正しい。（4）誤り。ベンザルコニウム塩化物（塩化ベンザルコニウム）は代表的な殺菌剤である。

問題39. 正解は4番

（1）正しい。（2）正しい。（3）正しい。（4）誤り。リンス成分として配合されるのは、シリコーン油または陽イオン界面活性剤や陽イオン高分子化合物である。

問題40. 正解は3番

（1）誤り。酢・ソース・しょうゆ・牛乳の順である。（2）誤り。レモン・りんご・みかん・すいかの順である。（3）正しい。（4）誤り。りんご・しょうゆ・すいか・牛乳の順である。

文化論及び美容技術理論

問題41. 正解は4番

（1）正しい。大正時代末期から昭和時代にかけて、女性の洋装化が急速に進んだ。（2）正しい。ズロースとは、股下が比較的長くゆったりした形の女性用下着で、英語のドロワーズが転訛した（てんか）もの（発音がなまって変わったもの）である。白木屋百貨店の火事の当時までは、日本女性は下穿き（したばき）を着用していなかった。（3）正しい。（4）誤り。もんぺスタイルは女性の服装である。

問題42.　正解は３番

（１）誤り。男性ファッションをカラフルにしようとする動きは、ピーコック革命とよばれる。なお、ピーコックとは孔雀のことである。（２）誤り。フォークルックを設立したのは高田賢三である。（３）正しい。（４）誤り。渋カジは東京・渋谷の公園通りから生まれた。

問題43.　正解は１番

（１）正しい。（２）誤り。未婚者の女性の礼装は振袖である。留袖は既婚者の礼装である。（３）誤り。女性の準礼装の代表的なものは訪問着である。（４）誤り。掻取は打掛の別名である。

問題44.　正解は２番

（１）誤り。湯の適温は38〜40℃である。（２）正しい。（３）誤り。セカンドシャンプーは手の動きをやや細かくし、マッサージ効果を意識して行う。（４）誤り。バックシャンプーのほうがネープが洗いやすく両手でしっかり洗える。

問題45.　正解は３番

（１）誤り。過ホウ酸ナトリウムは２剤の酸化剤である。（２）誤り。１剤に配合されるアルカリ剤は、毛髪を膨潤させ、パーマ剤を浸透させやすくする。（３）正しい。（４）誤り。酸化剤は、酸素を与えること（酸化）によりシスチンの再結合を促す。

問題46.　正解は２番

（１）誤り。図は、シザーズを下方へストロークするカット技法のため、ダウンストロークカットである。パネルを持つ左手は、ストロークが進むにつれてスムーズに上方に移行させる。（２）正しい。（３）誤り。１と同じ。（４）誤り。１と同じ。

問題47.　正解は２番

（１）正しい。（２）誤り。つけ巻きは、あらかじめ毛髪に１剤を塗布し、ワインディング後に再び１剤を塗布する方法である。（３）正しい。（４）正しい。

問題48.　正解は３番

（１）誤り。一般的なヘアアイロンである。（２）誤り。太いカールアイロンである。（３）正しい。ストレートアイロンである。（４）誤り。ワッフルアイロンである。

問題49.　正解は３番

（１）誤り。両手の指間を開け、手掌の外側面で軽く交互に叩打することをハ

ッキングという。（2）誤り。手掌をカップ状にくぼませて両手を軽く握り、手の甲で頭、首、肩をリズミカルに叩くことをカッピングという。（3）正しい。（4）誤り。こぶしで叩打することをビーティングという。

問題50. 正解は2番

（1）正しい。（2）誤り。前半は正しい。最も明度が低いのは黒である。（3）正しい。（4）正しい。

問題51. 正解は4番

（1）正しい。厚生労働省の通知がある。（2）正しい。まつ毛エクステンションの装着や取り外しの際にはテーピングをする。（3）正しい。（4）誤り。衛生上、おおむね2〜3週間でリペアが必要になる。

問題52. 正解は3番

（1）正しい。（2）正しい。（3）誤り。パラレログラムベースは、ステムをオーバーラップさせやすいため仕上がりが割れにくい。（4）正しい。

問題53. 正解は1番

（1）該当しない。笄は日本髪の装飾品である。（2）該当する。（3）該当する。（4）該当する。

問題54. 正解は3番

A：誤り。内曲線状の刃線では、力の配分が均等にならない。B：正しい。力の配分が均等になるため、本レザーや替刃のレザーの歯は直線状である。C：正しい。外曲線状の刃線も、力の配分は均等になる。

問題55. 正解は1番

（1）誤り。ハンドドライヤーは、毛髪に風を直接吹き付けるブロータイプである。（2）正しい。なお、ハンドドライヤーは、消費電力が1,200Wのものが多い。（3）正しい。（4）正しい。

第3回　模擬試験問題　　解答

試験科目	問題番号	解答番号	試験科目	問題番号	解答番号
関係法規・制度及び運営管理	1	(1)		29	(4)
	2	(3)		30	(2)
	3	(2)		31	(1)
	4	(2)		32	(4)
	5	(3)		33	(3)
	6	(1)		34	(1)
	7	(4)		35	(4)
	8	(4)	香粧品化学	36	(1)
	9	(4)		37	(2)
	10	(3)		38	(4)
衛生管理	11	(1)		39	(2)
	12	(1)		40	(3)
	13	(2)	文化論及び美容技術理論	41	(4)
	14	(4)		42	(1)
	15	(4)		43	(4)
	16	(2)		44	(3)
	17	(4)		45	(4)
	18	(3)		46	(2)
	19	(3)		47	(2)
	20	(2)		48	(4)
	21	(4)		49	(4)
	22	(4)		50	(3)
	23	(2)		51	(4)
	24	(4)		52	(2)
	25	(4)		53	(4)
保健	26	(4)		54	(4)
	27	(4)		55	(2)
	28	(1)			

関係法規・制度及び運営管理

問題1．正解は1番

（1）誤り。美容師免許は、①心身の障害により美容師の業務を適正に行うことができない者、②無免許で美容を業とした者などには与えられないことがある。法第3条第2項。（2）正しい。業務停止処分に違反したときなどは免許が取り消される。法第10条第3項。（3）正しい。免許証を紛失したときには美容の業を行えないという規則はない。（4）正しい。法第5条の2。

問題2．正解は3番

（1）正しい。法第12条の3第1項。（2）正しい。法第12条の3第1項。（3）誤り。管理美容師は美容所ごとに設置する必要がある。法第12条の3第1項。（4）正しい。法第12条の3第2項。

問題3．正解は2番

（1）正しい。（2）誤り。一般衛生行政と労働衛生行政は厚生労働省がつかさどるが、学校衛生行政は文部科学省がつかさどる。（3）正しい。公衆衛生行政は病気の予防・生活環境の改善など国民の健康増進にかかわる。医事行政は医療に関する行政にかかわる。薬事行政は医薬品、化粧品、医療器具の生産・供給・販売などにかかわる。（4）正しい。公衆衛生行政は病気の予防を目的とする予防衛生行政、生活環境の改善などを目的とする生活衛生行政、その他の衛生行政に分類されるが、美容に関することは生活衛生行政に属する。

問題4．正解は2番

（1）正しい。大前提はそのとおりであるが、実際には重なるところが出てくることへの理解が大切である。（2）誤り。厚生労働省は、男性に対するパーマンネントウエーブは頭髪の刈込の仕上げとして行われる場合は理容師が行ってもよいと通知している。（3）正しい。顔そりは理容師法にのみ定められているが、厚生労働省は、化粧に付随した顔そりは美容師が行ってもさしつかえないとしている。（4）正しい。手指の整容は美容師法にも理容師法にも言葉としては直接出ていないが、厚生労働省の通知では施術してよいとされる。美容師法では美容とは「パーマネントウエーブ、結髪、化粧等の方法により、容姿を美しくすること」と定義されるが、その「等」に入るという解釈である。

問題５．正解は３番

　A：「消毒設備」が入る。この文は法第13条であるが、皮膚に接する器具を客１人ごとに消毒する義務が美容師にあるため、消毒設備が必要である。洗場や毛髪箱、不浸透性材料は「一　常に清潔に保つこと」の具体的な方法として施行規則第26条で定められている。B：「採光」が入る。採光、照明、換気を充分にすることが要求されている。温度調整は美容所に限ったものではない。C：「都道府県」が入る。美容所の開設の届出は都道府県宛に行うため、美容所の開設者の講ずべき衛生措置も都道府県が条例で定めることができるとされている。

問題６．正解は１番

（１）誤り。身体障害は「その他の理由」に含まれ、美容所に来ることができない場合は出張して美容の業を行うことができる。（２）正しい。施行令第４条第２号に「婚礼その他の儀式に参列する者に対してその儀式の直前に美容を行う場合」は美容所以外でも行えると定められている。（３）正しい。（４）正しい。美容師の義務として、美容所以外の場所であっても、衛生的に業務を行わなければならない。

問題７．正解は４番

（１）正しい。法第10条第２項。（２）正しい。法第10条第２項。（３）正しい。法第10条第２項。（４）誤り。精神の機能の障害で業務を適切に行えない場合は業務停止ではなく、免許取り消しになることがある。法第10条第１項。

問題８．正解は４番

（１）誤り。「失業したときの所得保障」が失業保険金であり、すでに述べられている。（２）誤り。雇用保険は求職活動をする場合にも給付を行うが、「求職活動を受けた場合」では意味が通じない。（３）誤り。介護によって雇用の継続が難しくなった場合に給付を受けることはできるが、被保険者が「介護を受けた場合」ではない。（４）正しい。

問題９．正解は４番

（１）正しい。（２）正しい。（３）正しい。（４）誤り。個人事業主や法人の役員、事業主と同居の親族等は原則として被保険者にならない。

問題10．正解は３番

（１）正しい。（２）正しい。（３）誤り。給付は離職日後１年以内に受給を終える必要がある。（４）正しい。

衛生管理

問題11. 正解は1番

（1）正しい。男性の1位が肺がん、2位が胃がんである。（2）誤り。女性の部位別がん死亡率の上位は、大腸がん、肺がん、乳がんである。（3）誤り。男女合計の1位は肺がん、2位は大腸がん、3位は胃がんである。独立行政法人国立がん研究センターの発表では、直腸と結腸とを分けて発表しているが、問題文中に特に記述がなければ、直腸と結腸をあわせた大腸がんとしているという前提で解答してよい。逆に言えば、そこの解釈で正解が変わるような問題は出題されないと思われる。（4）誤り。大腸がんにまとめると、女性で1位、男性で3位となる。

問題12. 正解は1番

（1）業務ではない。労働条件に関しては労働基準監督署の業務である。（2）業務である。保健所の業務は地域保健法に定められている。美容所の衛生上の措置に関することは、同法第6条第4号の「その他の環境の衛生に関する事項」に含まれる。（3）業務である。食中毒は同法第6条第3号の「食品衛生に関する事項」に含まれる。（4）業務である。感染症予防は同法第6条第12号の「伝染病その他の疾病の予防に関する事項」に含まれる。

問題13. 正解は2番

（1）項目となっている。健康日本21（第2次）の具体的目標の項目に「生活習慣病の発症予防」がある。（2）項目となっていない。労働災害の防止は含まれていない。（3）項目となっている。「健康寿命の延伸と健康格差の縮小」がある。（4）項目となっている。3と同じ。

問題14. 正解は4番

（1）正しい。デング熱は病原体を持つ蚊から感染する。（2）正しい。ダニはぜんそくの原因となる。（3）正しい。ペストはノミが媒介する。（4）誤り。日本脳炎は蚊が媒介する。

問題15. 正解は4番

（1）正しい。イギリスの外科医リスターは、石炭酸という薬品で手術の器具や皮膚を消毒した。リステリンという商品の名前の由来になった外科医である。（2）正しい。ドイツの外科医シンメルブッシュは外科用材料の蒸気消毒

を初めて行った。（3）正しい。パスツールは低温殺菌法（パスツリゼーション）を考案した。他の選択肢はわからなくても、これだけは覚えておこう。なお、高圧滅菌器はアメリカの工学者アンダーウッドが作った。（4）誤り。ラバラックは、化膿した傷を洗うために初めて次亜塩素酸を使用した。産褥熱の予防法はゼンメルワイスが提唱した。

【感染症】

問題16．正解は2番
（1）誤り。麻しんの別名ははしかで、三日はしかは風しんの別名である。（2）正しい。（3）誤り。トレポネーマは梅毒の特徴である。麻しんの特徴はコプリック斑で、口の粘膜に白い斑点ができる。（4）誤り。麻しんの病原体は麻しんウイルスである。

問題17．正解は4番
（1）正しい。細菌の成分のおおよその内訳は、水分約80%、タンパク質約10%、糖質・脂質約6%、RNA・DNA約4%である。細菌の成分を理解することは殺菌において重要となる。細菌の固型成分（水分以外の約20%）の半分がタンパク質のため、タンパク質を加熱して凝固させることで菌は死ぬ。（2）正しい。（3）正しい。（4）誤り。RNAとDNAで約4%である。

問題18．正解は3番
（1）誤り。細菌は人工培地で発育するが、ウイルスは生きた細胞内でしか発育・成長できない。（2）誤り。ウイルスは生活環境に適応して変異を起こす。（3）正しい。（4）誤り。1と同じ。

問題19．正解は3番
a：誤り。潜伏期でも排菌する場合がある。そのように潜伏期の間に排菌しているものを潜伏期病原体保有者という。b：正しい。c：誤り。病原体を保有している人はキャリアとよばれ、普通に社会生活を営みながら感染源となりうる。d：正しい。

問題20．正解は2番
（1）誤り。狂犬病ワクチンの接種は希望者に対してのみ実施される。（2）正しい。（3）誤り。任意の予防接種もある。（4）誤り。ジフテリアは定期の予防接種で、法律で努力義務となっている。

【衛生管理技術】

問題21. 正解は4番

（1）正しい。（2）正しい。（3）正しい。乳濁液は、たとえば水と油のように互いに溶け合わない液体の片方が他方の中に、顕微鏡で見える程度のやや大きい粒子となって分散しているものをいう。（4）誤り。コロイド溶液とは、ある液体物質の中に、他の物質が極めて小さな粒子となって均一に分散しているものをいう。この粒子をコロイド粒子といい、普通の顕微鏡では見えない。

問題22. 正解は4番

（1）正しい。美容で使われる物理的消毒法には蒸気消毒、煮沸消毒、紫外線消毒などがある。（2）正しい。理学的消毒法は物理的消毒法ともいわれる。（3）正しい。化学的消毒法で用いる薬品を消毒薬という。（4）誤り。オキシドールは酸化剤であり、病原体を酸化して殺菌する。

問題23. 正解は2番

（1）正しい。冷暗所の温度は15℃以下である。（2）誤り。濃いままだと分解することは少ないが、薄めた液は分解することがあるため長い間保存したのちに使うのは適当ではない。（3）正しい。汚れた消毒液では効力が減少する。（4）正しい。特に次亜塩素酸ナトリウム液やクレゾール石けん液の原液は注意が必要である。

問題24. 正解は4番

（1）正しい。ふたのすきまから蒸気が逃げることで器内の圧力は高まらないため1気圧になる。これを大気圧下の蒸気という。（2）正しい。100℃を保つことは難しいが、80℃を超える温度で10分間以上を保つことが必要である。（3）正しい。蒸気の流れる方向に垂直にタオルを並べると蒸気の流通が悪く、消毒効果が上がりにくい。（4）誤り。すき間なくタオルをつめ込むと蒸気が十分にタオルの間を通らないため消毒効果が上がらない。蒸気の流通を考えて蒸し器につめることが必要である。

問題25. 正解は4番

（1）誤り。床に落ちた毛は集めて毛髪容器に入れる。（2）誤り。毛髪が飛び散らないように毛髪容器にはふたがあるものが好ましい。（3）誤り。毛髪容器は手を汚さないためにも足踏み式でふたが開閉するものを選ぶ。（4）正

しい。汚物箱も、ふた付きで足踏み式が望ましい。

保健

....
【人体の構造及び機能】

問題26. 正解は4番

（1）誤り。灰白質は、大脳の表面である大脳皮質に存在する細胞である。（2）誤り。白質は、大脳内部の神経線維である。（3）誤り。左半球は、大脳の左側の半球である。（4）正しい。

問題27. 正解は4番

（1）誤り。膵臓は胃の裏側に横たわる細長い臓器である。（2）誤り。肝臓が合成するのはグリコーゲンである。（3）誤り。胆汁は肝臓で作られる。胆汁を濃縮して貯めておく袋が胆嚢である。（4）正しい。

問題28. 正解は1番

（1）該当する。頸部の主な筋には広頸筋と胸鎖乳突筋とがある。（2）該当しない。横隔膜は胸部の筋である。（3）該当しない。肋間筋も胸部の筋である。（4）該当しない。三角筋は上腕の筋である。

問題29. 正解は4番

（1）誤り。瞳孔は交感神経の作用で散大する。（2）誤り。消化管は交感神経の作用で機能抑制される。（3）誤り。気管支は交感神経の作用で拡張する。（4）正しい。

問題30. 正解は2番

（1）含まれる。循環器系は心臓と血管・リンパ管から構成される。（2）含まれない。気管は呼吸器系である。（3）含まれる。1と同じ。（4）含まれる。1と同じ。

【皮膚科学】

問題31. 正解は1番

（1）正しい。爪の主成分はケラチンである。（2）誤り。0.15〜0.75％は爪に含まれる脂肪分である。水分は7〜12％である。（3）誤り。爪にできる縦の溝の数や程度は不定である。（4）誤り。ビタミンAが欠乏すると爪が薄

くもろくなる。

問題32. 正解は4番

（1）正しい。（2）正しい。（3）正しい。（4）誤り。更年期の女性では、男性ホルモンと女性ホルモンのバランスが乱れ、頭部のふけの増加、ひげの発育など、男性的皮膚の変化が現れる。

問題33. 正解は3番

（1）誤り。健康な成人のpHは4.5〜6.5の間である。（2）誤り。皮膚のpHに最も影響を与えるのは汗の分泌である。（3）正しい。皮膚にはアルカリ中和能があるため、皮膚にアルカリ性溶液を塗っても、すぐにもとの値に戻る。（4）誤り。アポクリン腺（大汗腺）のように汗の分泌が多いところでは、酸性ではなくアルカリ性に傾く。

問題34. 正解は1番

A：「感作リンパ球」が入る。ある種の物質が皮膚に付着し経皮吸収されると、一部の人はその物質に反応して、感作リンパ球や抗体を作る。次にその物質が入ったときは、感作リンパ球や抗体が結合して強い炎症を起こす。B：「抗体」が入る。蕁麻疹などは抗体によって生じる。C：「その両方」が入る。アトピー性皮膚炎の場合は、感作リンパ球と抗体の両方が関係することがわかってきている。

問題35. 正解は4番

（1）正しい。皮膚が損傷をうけて傷があったり、ただれていたりすると、水溶性物質も容易に吸収される。（2）正しい。物質を取り入れる働きを経皮吸収とよぶ。（3）正しい。（4）誤り。経皮吸収は、皮膚付属器官経路のほか、表皮経路でも行われる。

香粧品化学

問題36. 正解は1番

（1）誤り。洗顔クリームや洗顔フォームの主原料は、一般的にはアミノ酸石けんではなく、ナトリウム石けんなどのアルカリ石けんが使われる。（2）正しい。（3）正しい。油性物質や保湿剤は、過度の脱脂を防いで皮膚を保護する機能がある。（4）正しい。

問題37. 正解は2番

（1）誤り。紫外線吸収剤は紫外線による品質劣化の防止などを目的としている。（2）正しい。酸敗という言葉からわかる。（3）誤り。防腐剤は微生物汚染による品質低下を防ぐ。（4）誤り。収れん剤は、皮膚組織をひきしめてさっぱりした感じを与える酸性物質である。

問題38. 正解は4番

（1）誤り。香水はエタノールに15〜25％程度の香料を溶解させたものである。（2）誤り。合成香料はほとんどが無色である。（3）誤り。天然香料を脱色すると優雅な香りも同時に失われるため、香水には脱色しない香料を用いるのが普通である。（4）正しい。天然香料は色が濃く、溶媒のエタノールが揮発したあとに香料の濃い色がしみになることが多いため、注意が必要である。

問題39. 正解は2番

（1）誤り。陽イオン界面活性剤はヘアリンス剤やトリートメント剤などに用いられる。（2）正しい。（3）誤り。両性界面活性剤は、界面活性剤としての性質が温和で、眼にしみないシャンプーなどで使われる。（4）誤り。非イオン界面活性剤は乳液やクリームに用いられる。

問題40. 正解は3番

（1）正しい。（2）正しい。（3）誤り。シスチン結合は還元剤で切断される。（4）正しい。還元剤で切断されたシスチン結合は、ウエーブ状に形作られた状態で酸化剤の作用で再結合されるため、ウエーブが固定される。

文化論及び美容技術理論

問題41. 正解は4番

（1）正しい。（2）正しい。（3）正しい。（4）誤り。江戸時代に仙台藩主の伊達氏が織工を招いたのは、京都西陣からである。

問題42. 正解は1番

（1）正しい。（2）誤り。モーニングコートである。（3）誤り。燕尾服である。（4）誤り。タキシードである。

問題43. 正解は4番

（1）正しい。（2）正しい。（3）正しい。（4）誤り。宮中晩餐会のような格式の高いところで着用するドレスは、ローブデコルテである。

問題44. 正解は3番

（1）該当しない。ヘアアイロンは、棒の部分（ロッド）と、溝（グルーブ）の部分からなり、両者をねじ（スクリュー）でとめている。（2）該当しない。スクリューは、ロッド（棒）とグルーブ（溝）が交差する部分である。（3）該当する。（4）該当しない。ロッドハンドルは、棒の取っ手の部分をいう。

問題45. 正解は4番

（1）正しい。ブラッシングの第一義的な目的は毛髪の汚れの除去である。（2）正しい。マッサージ効果も意識して行う必要がある。（3）正しい。（4）誤り。ブラッシングは、抜けるべき毛髪をすき取り、新しい毛髪の発生を促すという意味もある。したがって、抜けるべき毛髪はすき取るべきである。

問題46. 正解は2番

A：「短く」が入る。外側からテーパリング（髪をそぐ）ため、外側の毛が短くなる。B：「長く」が入る。外側が短くなるため、内側は長くなる。C：「アウトサイド」が入る。外側（アウトサイド）をテーパリングするため、アウトサイドテーパーカットとよばれる。

問題47. 正解は2番

A：リッジ（隆起線）である。B：トロー（谷）である。

問題48. 正解は4番

（1）誤り。ブロードライスタイリングはタイトに抑えることも、ボリュームを出すこともできるため、タイト感には限定できない。（2）誤り。分子に方向づけを与えるというのでは不自然である。（3）誤り。1と同じ。（4）正しい。毛髪の分子に、熱で一時的な変化を与えるのがブロードライスタイリングである。

問題49. 正解は4番

（1）誤り。毛髪は濡らすと膨潤しやわらかくなる。（2）誤り。濡らすと正確なカッティングがしやすくなり、傷みを最小限に抑えられる。（3）誤り。チェックカッティングはドライカッティングの一例である。（4）正しい。ヘアカッティングは基本的にウェットヘアで行う。

問題50. 正解は3番

（1）誤り。頭皮は血液に覆われていない。（2）誤り。頭皮は頭皮に覆われていない。（3）正しい。（4）誤り。生理機能が覆うことはない。

問題51．正解は４番

（1）誤り。グルーは爪用の接着材である。木の棒はウッドスティックとよばれる。（2）誤り。フィラーはアクリルパウダーである。（3）誤り。シルクラップは爪の表面にはるものである。リペアなどで使われる。（4）正しい。

問題52．正解は２番

（1）誤り。芯が柔らかいと濃く描けて不自然になるため、芯の硬いものを選ぶ。（2）正しい。（3）誤り。眉をレザーで剃ると不自然になるため、アイブロウ用のカッティングシザーズを使う。（4）誤り。眉頭に近い部分をカットすると立体感が損なわれる。

問題53．正解は４番

（1）正しい。挙式時に適している（2）正しい。披露宴時に適している。（3）正しい。聖母マリアのような雰囲気をかもし出す。（4）誤り。優しい感じを演出するベールである。

問題54．正解は４番

（1）正しい。（2）正しい。（3）正しい。（4）誤り。ブラシのカーブ面を利用することで自然な流れを出すことができるのは、ハーフラウンドブラシである。ロールブラシ（小）は、細かいカールを作るときに使う。

問題55．正解は２番

（1）正しい。（2）誤り。グルーに対するアレルギーには即時型と遅延型があるため、施術中だけでなく、施術後しばらくしてからも違和感がないかを確認する必要がある。（3）正しい。（4）正しい。

第4回　模擬試験問題　　解答

試験科目	問題番号	解答番号	試験科目	問題番号	解答番号
関係法規・制度及び運営管理	1	(4)		29	(1)
	2	(4)		30	(3)
	3	(4)		31	(1)
	4	(4)		32	(1)
	5	(3)		33	(3)
	6	(4)		34	(2)
	7	(3)		35	(4)
	8	(4)	香粧品化学	36	(4)
	9	(3)		37	(3)
	10	(3)		38	(2)
衛生管理	11	(2)		39	(3)
	12	(3)		40	(1)
	13	(3)	文化論及び美容技術理論	41	(1)
	14	(2)		42	(4)
	15	(4)		43	(3)
	16	(4)		44	(1)
	17	(1)		45	(4)
	18	(2)		46	(4)
	19	(2)		47	(3)
	20	(1)		48	(1)
	21	(3)		49	(1)
	22	(3)		50	(4)
	23	(1)		51	(4)
	24	(4)		52	(3)
	25	(2)		53	(3)
保健	26	(1)		54	(3)
	27	(4)		55	(3)
	28	(4)			

関係法規・制度及び運営管理

問題１．正解は４番

A：「美容師法」が入る。美容師法第１条は美容師法の制定目的を定めたもので、美容師法施行令や美容師法施行規則のような詳細について触れたものではない。B：「公衆衛生の向上」が入る。美容師法は国民の公衆衛生の向上のための法律である。

問題２．正解は４番

（１）誤り。美容師試験は、厚生労働大臣が指定した試験機関が行う。（２）誤り。美容師試験は、厚生労働大臣が指定した美容師養成施設（いわゆる美容学校）において、必要な知識および技能を修得した者でなければ受験できない。（３）誤り。美容師試験に合格しても、美容師として登録しないと美容師にはなれない。（４）正しい。施行規則第13条では、引き続き行われる次回の試験に限って、申請することにより合格した試験は免除されるとされている。

問題３．正解は４番

（１）誤り。この文は美容師法第12条の２の条文であり、美容所の開設者の地位の承継に関する定めである。（２）誤り。１と同じ。（３）誤り。１と同じ。（４）正しい。「美容所の開設者の地位」が入る。

問題４．正解は４番

（１）誤り。常時２名以上の場合に管理美容師を置かなければならないのであり、一時的に２名になった場合は管理美容師を置く義務はない。（２）誤り。管理美容師は美容所および美容の業務を衛生的に管理させるために置く。（３）誤り。美容所の開設者も管理美容師になることはできる。（４）正しい。管理美容師は美容所ごとに置く義務がある。

問題５．正解は３番

（１）適用される。法第18条第１号。（２）適用される。法第18条第２号。（３）適用されない。罰金は適用されないが、免許が取り消される。法第10条第３項。（４）適用される。法第18条第４号。

問題６．正解は４番

（１）正しい。（２）正しい。（３）正しい。（４）誤り。企業の利益は、１つは税金を生み、もう１つは再投資に使われる。再投資とは、新しい設備を購

入したり、店舗を増やしたりすることなどを意味する。

問題７．正解は３番

（１）誤り。変動費だけでなく固定費を含めたコストを分析し、無駄を省くことが大事である。（２）誤り。固定費だけでなく変動費も含めて考えるべきである。（３）正しい。（４）誤り。文脈から考えると、空欄には原材料費の高騰に対する対策に関する言葉が入るため、スタッフは適さない。

問題８．正解は４番

（１）誤り。かつては、福利厚生は生活保障的な性格だったが、現在はスタッフのニーズに合ったものを促進し、メリハリをつけていくことが効果的であると考えられている。（２）誤り。有給休暇は勤続年数が６カ月以上のスタッフに対して付与される。（３）誤り。有給休暇を取得する理由は問われない。（４）正しい。勤続年数６カ月以上での付与日数が一番短く、最低10日付与され、勤続年数が増えると最低付与日数は増える。

問題９．正解は３番

（１）正しい。（２）正しい。（３）誤り。インターネットを利用すれば目立つかもしれないが、目立つことと来店してもらうこと、喜んでもらうことは別であるから、目的を重視してバランスよく選択するのがマーケティング・ミックスのポイントである。（４）正しい。

問題10．正解は３番

（１）正しい。（２）正しい。（３）誤り。どの顧客にもクレーマーになる可能性がある。（４）正しい。

衛生管理

【公衆衛生・環境衛生】

問題11．正解は２番

（１）誤り。2019年の女性の平均寿命は87.45歳である。（２）正しい。2019年の男性の平均寿命は81.41歳である。（３）誤り。男性の平均寿命は世界第３位である。（４）誤り。女性が87.45歳、男性が81.41歳のため、差は６歳以上ある。

問題12．正解は３番

（１）誤り。第１位は悪性新生物で、第２位が心疾患である。（２）誤り。肺

炎の死亡率は、2015年の第3位から第4位に下がった。（3）正しい。悪性新生物の死亡率は対10万人で273.5人である。（4）誤り。脳血管疾患の死亡率は第4位である。

問題13.　正解は3番

（1）正しい。（2）正しい。（3）誤り。動物性脂肪や糖質の過剰摂取によるコレステロール・中性脂肪の増加が原因の一つである。（4）正しい。

問題14.　正解は2番

（1）正しい。（2）誤り。アタマジラミは頭皮ではなく、毛髪に卵を産む。（3）正しい。（4）正しい。

問題15.　正解は4番

（1）誤り。UNICEFは国連児童基金の略称である。（2）誤り。UNは国際連合の略称である。（3）誤り。WTOは世界貿易機関の略称である。（4）正しい。World Health Organizationの頭文字をとったものがWHOで、世界保健機関である。他がわからなくても、世界保健機関＝WHOは覚えておこう。

【感染症】

問題16.　正解は4番

（1）正しい。感染症法第12条第1項第1号。（2）正しい。省令で定める飲食物取扱い関係の業務に従事してはならない。感染症法第18条第2項。（3）正しい。（4）誤り。結核は二類感染症である。感染症法第6条。

問題17.　正解は1番

（1）正しい。（2）誤り。ウイルスは生きた細胞の中でのみ発育・増殖が可能である。（3）誤り。ウイルスは変異を起こし強毒にも弱毒にもなる。（4）誤り。グルコン酸クロルヘキシジンはウイルスには効果がない。

問題18.　正解は2番

（1）誤り。感染症法に基づく分類は法律上の分類で、行政上の立場からの分類である。（2）正しい。呼吸器系感染症、消化器系感染症などに分類する方法である。（3）誤り。一類感染症などの呼称は感染症法に基づく分類で、法律上の分類である。（4）誤り。病原体の種別による分類では、細菌による感染症、ウイルスによる感染症などに分類される。

問題19. 正解は2番

（1）誤り。感染症に一度かかると二度とかからないか、かかりにくい性質は後天免疫の中の能動免疫である。（2）正しい。（3）誤り。予防接種は能動免疫である。予防接種は、抗体そのものを移入しているわけではなく、病原体を体内に接種し抗体を作り出す。（4）誤り。免疫反応を誘導する物質は抗原である。

問題20. 正解は1番

（1）誤り。インフルエンザは一般に秋から多くなり、冬から春先に流行する。（2）正しい。（3）正しい。（4）正しい。

【衛生管理技術】

問題21. 正解は3番

（1）正しい。（2）正しい。両性界面活性剤は洗浄力が大きな薬剤ではないが、結核菌に効果があるのがこの薬剤の長所である。（3）誤り。グルコン酸クロルヘキシジンは芽胞に効果がない。結核菌にもウイルスにも効果がない。（4）正しい。次亜塩素酸ナトリウムは結核菌には効果がないが、ウイルスには効果がある。

問題22. 正解は3番

（1）正しい。そのため、シザーズなどはエタノール消毒が適している。（2）正しい。（3）誤り。紫外線は一種の光線のため、陰になる部分には作用しないが、毛の植え方がまばらなものは光線が行き届くため適している。（4）正しい。

問題23. 正解は1番

（1）正しい。煮沸消毒（沸騰後2分間以上煮沸）は血液が付着した器具の消毒をすることができる。施行規則第25条第1号イ。（2）誤り。蒸気消毒では80℃を超える湿熱に10分間以上触れされる必要がある。施行規則第25条第2号ハ。（3）誤り。85マイクロワット以上である。施行規則第25条第2号イ。（4）誤り。2分間以上である。

問題24. 正解は4番

（1）誤り。血液が付着した器具に使える次亜塩素酸ナトリウム水溶液は0.1％以上の濃度が必要である。両性界面活性剤は血液が付着した器具の消毒には利用できないのは正しい。（2）誤り。血液の付着した器具の消毒には、蒸

気消毒は利用できない。（3）誤り。エタノール水溶液に10分間以上浸す方法は利用できるが、ガーゼでふく方法は利用できない。（4）正しい。

問題25．正解は2番

（1）誤り。濃度0.05％の水溶液1,000mℓ中には、1,000mℓ×0.05％＝0.5mℓのグルコン酸クロルヘキシジンがある。濃度が20％の製剤であるということは、5倍の量が必要のため0.5mℓ×5＝2.5mℓ。したがって、20％グルコン酸クロルヘキシジン製剤は「2.5mℓ」必要である。逆算すると、20％の製剤2.5mℓ中には、グルコン酸クロルヘキシジンが0.5mℓ入っている。それを水で薄めて1,000mℓにするということは、薬剤の濃度は0.5mℓ÷1,000mℓ＝0.05％になる。（2）正しい。（3）誤り。1と同じ。（4）誤り。1と同じ。

保健

【人体の構造及び機能】

問題26．正解は1番

（1）正しい。泉門には2種類あり、前頭骨と頭頂骨にはさまれた部分を大泉門といい、後頭骨と頭頂骨とにはさまれた部分を小泉門という。（2）誤り。仙骨は臀部あたりの骨である。（3）誤り。延髄は脳神経の一部である。（4）誤り。肋間は肋骨と肋骨の間である。

問題27．正解は4番

（1）正しい。（2）正しい。暗さに順応することを暗順応とよび、逆を明順応とよぶ。（3）正しい。老眼はこの水晶体の調節機能が衰えるために起こる。（4）誤り。前半は正しい。光が角膜からしか入らないのは脈絡膜にメラニン色素が豊富にあるためで、黄斑ではない。

問題28．正解は4番

（1）関与しない。赤血球はガス交換を担う。（2）関与しない。好中球は白血球の一つで免疫に関係している。（3）関与しない。リンパ球も白血球の一つである。（4）関与する。血小板は血液凝固に深く関与している。

問題29．正解は1番

A：「下」が入る。横隔膜は肺の下面にあり、胸腔と腹腔を分ける。B：「上」が入る。肺胞の上皮を通じてガス交換を行っている。

問題30. 正解は3番

（1）該当しない。化学的消化である。塩酸は胃から分泌されて胃の中を酸性にする。（2）該当しない。化学的消化である。膵液にはタンパク質やデンプンを分解する酵素が含まれる。（3）該当する。口の中のものを飲み下すことを嚥下といい、咀嚼（そしゃく）、蠕動（ぜんどう）などと並んで機械的消化である。（4）該当しない。化学的消化である。腸腺からは分解酵素を含んだ腸液が分泌される。

【皮膚科学】

問題31. 正解は1番

Ａ：「ケラチン」が入る。角質層を形成する細胞の成分はケラチンである。
Ｂ：「強いので、外界から身体を守る役割を果たしている」が入る。角質層は表皮細胞の95％を占め、一番表にある層であるから、外界から身体を守る。

問題32. 正解は1番

（1）正しい。（2）誤り。球状毛はいわゆる縮れ毛で、その断面は楕円形や三角形をしている。（3）誤り。後頭部の毛は最も太く、頭頂部の毛は最も細い。（4）誤り。斜めに生えていて、傾斜角度は約24～50度である。

問題33. 正解は3番

（1）誤り。腋毛や睫毛、眉毛、鼻毛などには立毛筋がないため、鳥肌反応は起こらない。（2）誤り。毛と関係なく独立して存在する脂腺もあり、独立脂腺とよばれる。口唇、口腔粘膜、眼瞼、乳輪などにある。（3）正しい。（4）誤り。大汗腺の汗のほうが小汗腺よりも濃い。

問題34. 正解は2番

（1）誤り。皮膚は黄色くなる。それが黄疸である。（2）正しい。（3）誤り。胃腸障害があると栄養物質の吸収利用が妨げられ、皮膚にもさまざまな障害を起こしやすい。（4）誤り。糖尿病になると皮膚の抵抗力が弱くなって、化膿菌や真菌による感染症を起こしやすい。

問題35. 正解は4番

（1）正しい。（2）正しい。（3）正しい。（4）誤り。尋常性毛瘡（じんじょうせいもうそう）はおもにブドウ球菌の感染によって起こる。

香粧品化学

問題36．正解は４番

（1）誤り。二酸化炭素はCO_2であるから、炭素Cが１つ、酸素Oが２つある。分子量は構成する各原子の原子量の総和であるから、炭素の原子量12と、酸素の原子量16が２個分ということになる。$12+16×2＝44$である。（2）誤り。1と同じ。（3）誤り。1と同じ。（4）正しい。

問題37．正解は３番

（1）正しい。（2）正しい。（3）誤り。アミノ酸は分子内にアミノ基と、カルボキシル基－COOHの両方を持つ化合物をいう。（4）正しい。

問題38．正解は２番

（1）誤り。ヒアルロン酸ナトリウムは保湿効果がある。（2）正しい。（3）誤り。グリセリドなどのグリセリンのエステルは油脂であり、エモリエント効果（皮膚柔軟効果）を持つ。（4）誤り。パラアミノ安息香酸エステルは紫外線吸収剤で、防腐剤・殺菌作用を持つのはパラオキシ安息香酸エステルである。

問題39．正解は３番

（1）正しい。（2）正しい。（3）誤り。アイシャドーはファンデーションなどと同じように、主要原料は白色顔料、着色顔料などの粉末物質である。アイライナーはマスカラと成分の構成が似ている。いずれも顔料を溶剤に入れたものである。（4）正しい。一方で、汗や涙などでにじんだり、容易に落ちたりしないことも必要である。

問題40．正解は１番

（1）正しい。紫外線Bによる急性の炎症をサンバーンとよぶ。（2）誤り。紫外線Aによる日やけはサンタンとよばれる。（3）誤り。有害な紫外線Bを吸収し、紫外線Aを透過することで、むらのない自然な小麦色の日やけが可能になる。（4）誤り。SPF値は紫外線Bに対する防御効果を表し、紫外線Aに対する防御効果はPAで表す。

文化論及び美容技術理論

問題41. 正解は1番

（1）正しい。西洋上げ巻きは西洋束髪の一種で髪を巻き上げている。（2）誤り。西洋下げ巻きは髪を巻き下げる。（3）誤り。唐人髷は日本髪の一つであるが、図は西洋束髪である。（4）誤り。桃割れも日本髪の一つであり、西洋束髪ではない。

問題42. 正解は4番

（1）正しい。（2）正しい。（3）正しい。（4）誤り。イラストはハーフロングである。

問題43. 正解は3番

（1）誤り。セシールカットである。（2）誤り。プードルカットである。（3）正しい。（4）誤り。バルドースタイルである。

問題44. 正解は1番

（1）誤り。イラストはニュートラである。（2）正しい。（3）正しい。（4）正しい。

問題45. 正解は4番

（1）誤り。ディレクターズスーツのボトムはモーニングコートと同じだが、ジャケットは黒のテーラードジャケットでシングルブレストである。（2）誤り。燕尾服はダブルブレスト6つボタンで、前身ごろがウエストの高さまである。中央に深いセンターベンツがとられている。（3）誤り。タキシードは背広型である。（4）正しい。モーニングコートはフロントラインが前から後ろへなだらかなカーブを描くことが特徴である。シングルブレストで1つボタンである。

問題46. 正解は4番

（1）正しい。（2）正しい。（3）正しい。（4）誤り。毛髪が傷むとウエーブは出にくくなる。

問題47. 正解は3番

（1）誤り。ストローキングとは手掌、四指、母指などを用いて、軽くこすることをいう。（2）誤り。フリクションとは、皮膚を押さえつけながら強くこすることをいう。（3）正しい。（4）誤り。ビブラシオンとは、皮膚や下部組織に振動を伝えることをいう。

問題48. 正解は1番

（1）正しい。（2）誤り。ヘアシェーピングは「毛髪をとかす」「形づくる」「毛流を整える」などの意味。（3）誤り。頭毛が柔らかいほうがカッティングしやすい。（4）誤り。シザーズでもレザーでも髪を濡らしてカッティングするのが基本である。ただし、シザーズの際は髪を濡らさないドライカッティングを行う場合もある。

問題49. 正解は1番

（1）正しい。（2）誤り。ネッスラーは、らせん状に巻いた頭毛にアルカリのしみ込んだ布を巻いて、その上を、あらかじめ熱しておいた金属製の筒で覆ってあたためた。これはマシンウエーブとよばれる方法である。（3）誤り。機械を用いないものはマシンレスウエーブである。マシンレスウエーブには加水分解の熱を利用するヒートウエーブと、頭毛を加熱しないでウエーブを形成するコールドパーマネントウエーブとがある。（4）誤り。現在はコールドパーマネントウエーブである。

問題50. 正解は4番

（1）誤り。頭皮に平らに付くカールはフラットカールである。（2）誤り。ボリュームを出すために作られるのはスタンドアップカールである。（3）誤り。リフトカールはスタンドアップカールの一種である。（4）正しい。

問題51. 正解は4番

（1）正しい。（2）正しい。（3）正しい。（4）誤り。ウイッグとヘアピースの素材には、人毛と人工毛とがある。

問題52. 正解は3番

（1）正しい。（2）正しい。（3）誤り。損傷がある部分のほうが明るく出やすい。（4）正しい。

問題53. 正解は3番

（1）正しい。（2）正しい。（3）誤り。シルクは爪表面に貼るファブリックである。（4）正しい。

問題54. 正解は3番

（1）正しい。（2）正しい。（3）誤り。プッシュは頬やカバーしたい部分に使う。目や口のまわりはストロークでファンデーションを塗るのが一般的である。（4）正しい。

問題55.　正解は3番

（1）正しい。（2）正しい。（3）誤り。紋が隠れないように着付けする。模様の主要な部分も隠れないように注意すべきである。（4）正しい。心臓部やミゾオチ等の中心部にひもの結び目があたると気分が悪くなることがあるので注意が必要である。

第5回 模擬試験問題 （ 解答 ）

試験科目	問題番号	解答番号	試験科目	問題番号	解答番号
関係法規・制度及び運営管理	1	(3)		29	(2)
	2	(1)		30	(1)
	3	(4)		31	(2)
	4	(4)		32	(4)
	5	(3)		33	(3)
	6	(3)		34	(4)
	7	(2)		35	(4)
	8	(4)	香粧品化学	36	(1)
	9	(2)		37	(1)
	10	(1)		38	(3)
衛生管理	11	(1)		39	(2)
	12	(2)		40	(4)
	13	(2)	文化論及び美容技術理論	41	(1)
	14	(2)		42	(4)
	15	(1)		43	(4)
	16	(3)		44	(3)
	17	(3)		45	(1)
	18	(4)		46	(2)
	19	(2)		47	(3)
	20	(2)		48	(4)
	21	(4)		49	(1)
	22	(1)		50	(2)
	23	(4)		51	(3)
	24	(3)		52	(1)
	25	(4)		53	(2)
保健	26	(4)		54	(3)
	27	(4)		55	(3)
	28	(1)			

関係法規・制度及び運営管理

問題1．正解は3番

（1）含まれない。美容師免許証は厚生労働大臣が交付する。法第5条の2第2項。（2）含まれない。美容師試験は厚生労働大臣またはその委任を受けた指定試験機関が行う。法第4条第2項、第4条の2第1項。（3）含まれる。法第10条第2項。（4）含まれない。美容師免許を取り消すことができるのは、厚生労働大臣である。法第10条第1項。

問題2．正解は1番

（1）誤り。美容師名簿は、日本の美容師試験に合格した者だけが登録することができる。法第5条の2第1項。（2）正しい。（3）正しい。（4）正しい。たとえば、公衆衛生上一定の知識を必要としないような場合は、理容師や美容師でなくても美顔施術を行うことができる。

問題3．正解は4番

（1）正しい。（2）正しい。（3）正しい。（4）誤り。たとえば、保健所設置市や東京都特別区では、その市や特別区が行うべき衛生行政の一部を保健所が行っている場合も多い。

問題4．正解は4番

（1）誤り。2017年5月30日からは個人情報の取り扱い件数にかかわらず、すべての事業者が規制の対象になった。（2）誤り。カルテ項目についても利用者に説明を行い、同意を得なければならない。（3）誤り。利用者カルテを作成する場合には、利用者の同意を得る必要がある。（4）正しい。

問題5．正解は3番

A：「美容の業務に係る技術の向上」が入る。法第16条第1項。B：「連合会」が入る。法第16条第2項。

問題6．正解は3番

（1）誤り。出張美容が認められるのは、施行令第4条で定められた場合のみである。なお、同第4条第3号で、都道府県等の条例で定める場合も認められるとしている。（2）誤り。美容所に所属していない美容師も行うことができる。（3）正しい。（4）誤り。出張美容が認められていない場所で美容の業を行った美容師に対しては、業務停止処分が行われることがある。法第10条第2項。

問題７．正解は２番

　Ａ：該当しない。業とは、社会生活上の役割として反復継続的に行われるものをいうが、親が子どもに対して行うことは私生活の行為であり、業にはならない。Ｂ：該当する。報酬がなくても、社会生活で反復継続されるため、業となる。Ｃ：該当する。実際には繰り返し続けられていなくても、反復継続する意思があれば、美容を業とする者とみなされる。Ｄ：該当しない。自分で行う化粧や化粧直しは、私生活の行為である。

問題８．正解は４番

　（１）誤り。健康診断の実施は義務である。労働安全衛生法第66条第１項。（２）誤り。特定の伝染性の疾病にかかった者の就業を禁止する義務がある。労働安全衛生法第68条。（３）誤り。労働者の従事する作業を適切に管理することは義務ではなく、努力が求められている。労働安全衛生法第65条の３。（４）正しい。労働安全衛生法第69条第１項。

問題９．正解は２番

　Ａ：該当しない。育児休業給付は雇用保険の給付である。Ｂ：該当しない。介護休業給付は雇用保険の給付である。Ｃ：該当する。Ｄ：該当する。

問題10．正解は１番

　（１）正しい。労働基準法第116条第２項。（２）誤り。美容所の使用者は、従業者の意思に反して労働を強制してはならない。労働基準法第５条。（３）誤り。美容所の使用者は、従業者に賃金、労働時間その他の労働条件を明示しなければならない。労働基準法第15条第１項。（４）誤り。美容所の使用者は、従業者に一定の休憩時間や一定の休日を与えなければならない。労働基準法第34条第１項、第35条第１項。

衛生管理
【公衆衛生・環境衛生】

問題11．正解は１番

　Ａ：減少している。出生率の数値は、1980年の11.8から2015年には8.0となった。Ｂ：減少している。合計特殊出生率の数値は、1980年の1.75から2015年には1.46となった。Ｃ：増加している。粗死亡率の数値は、1980年の6.2から2015年には10.3となった。Ｄ：減少している。年齢調整死亡率の数値は、1980

年の男性9.2・女性5.8から2015年には男性4.9・女性2.5となった。

問題12. 正解は２番

（1）誤り。喫煙者は、膀胱がんにおいても危険性が増す。（2）正しい。（3）誤り。日本のアルコール消費量は、平成に入ってから横ばい傾向となり、しだいに減少傾向に転じた。（4）誤り。飲酒を起因とする健康障害として、アルコール依存症やアルコール精神病が増加している。

問題13. 正解は２番

Ａ：誤り。アタマジラミは毛髪に卵を産む。Ｂ：誤り。幼虫・成虫とも頭皮から吸血する。Ｃ：正しい。Ｄ：正しい。

問題14. 正解は２番

（1）誤り。カビが抗原となってアレルギー反応を起こすことがある。（2）正しい。（3）誤り。カビや害虫による被害は、暖房の普及とともに１年中みられるようになった。（4）誤り。害虫などの駆除に用いる薬剤は、人に有害なこともある。

問題15. 正解は１番

（1）正しい。（2）誤り。浮遊粒子状物質に関する環境基準は、国によって定められている。（3）誤り。浮遊粒子状物質は、量だけでなく、大きさや成分も健康に関係する。（4）誤り。浮遊粒子状物質の成分には、粉じんやアスベストのほか、病原体などもある。

【感染症】

問題16. 正解は３番

（1）正しい。B型肝炎には一過性感染と持続性感染がある。（2）正しい。（3）誤り。皮膚の傷からも感染する。（4）正しい。

問題17. 正解は３番

（1）誤り。病原体が人体に付着しても、感染しないこともある。（2）誤り。病原体に感染しても、発病しないこともある。（3）正しい。（4）誤り。発病と発症の意味は同じである。

問題18. 正解は４番

（1）誤り。桿菌は棒形である。（2）誤り。ある種の細菌は莢膜も持つ。（3）誤り。ウイルスは球形のほか、四角形、円筒形などがある。（4）正しい。

問題19. 正解は2番

（1）該当する。（2）該当しない。水系感染は、水が病原体に汚染されて感染経路となる間接伝播の一つである。（3）該当する。（4）該当する。

問題20. 正解は2番

（1）正しい。（2）誤り。潜伏期は4〜8日である。（3）正しい。（4）正しい。

【衛生管理技術】

問題21. 正解は4番

（1）誤り。紫外線は、目や皮膚などに直接照射を受けると有害である。（2）誤り。紫外線消毒は、血液や油脂などの汚れが付着した器具の消毒には適さない。（3）誤り。陰の部分には作用しないため、重なり合わないように配置する必要がある。（4）正しい。

問題22. 正解は1番

（1）該当しない。青カビからはペニシリンが作られ、人間に有益にはたらく微生物である。（2）該当する。（3）該当する。（4）該当する。

問題23. 正解は4番

（1）正しい。（2）正しい。（3）正しい。（4）誤り。待合室の椅子のカバーは、少なくとも週に一度、よく洗濯したものと取り替える。

問題24. 正解は3番

（1）誤り。器具などの消毒のほか、店舗が不潔な感じを与えないようにする必要がある。（2）誤り。洗剤による洗浄法は、美容所や器具、布片などを清潔に保持する方法の一つである。（3）正しい。（4）誤り。施設は1日1回以上清掃し、用具類の保管場所は1週間に1回以上清掃する。

問題25. 正解は4番

（1）誤り。細菌に限定すべきではない。（2）誤り。ウイルスに限定すべきではない。（3）誤り。水は洗浄してから消毒するという文脈にそぐわない。（4）正しい。

保健

【人体の構造及び機能】

問題26．正解は4番

（1）該当しない。鼻背は鼻筋で、正中線上にある。（2）該当しない。人中は上唇の正中線を上下に走る溝で、正中線上にある。（3）該当しない。オトガイは顎先で、正中線上にある。（4）該当する。鼻唇溝は鼻翼の付け根から口角の外側へ向けて斜めに下がる溝である。

問題27．正解は4番

A：該当しない。球関節は広い範囲で自由に運動できる。B：該当しない。鞍関節は2方向に屈曲できる。C：該当する。D：該当する。

問題28．正解は1番

（1）該当しない。内耳にある蝸牛は聴覚を担っている。（2）該当する。（3）該当する。（4）該当する。

問題29．正解は2番

（1）誤り。蠕動運動とは、輪状筋収縮の波が伝わる運動である。（2）正しい。（3）誤り。振子運動とは、主として縦走筋収縮で収縮部と弛緩部とが隣り合って、収縮と弛緩が交互に起こる運動である。（4）誤り。飢餓収縮とは、空腹感を引き起こす胃の収縮運動である。

問題30．正解は1番

（1）正しい。血小板の直径は2〜3μm、赤血球は7〜8μm、好中球は約14μm、単球は約18μmである。（2）誤り。血小板の直径は2〜3μm、リンパ球は約8μm、好酸球は約14μm、赤血球は7〜8μmである。（3）誤り。赤血球の直系は7〜8μm、単球は約18μm、好塩基球は約14μm、リンパ球は約8μmである。（4）誤り。赤血球の直系は7〜8μm、血小板は2〜3μm、好中球は約14μm、単球は約18μmである。

【皮膚科学】

問題31．正解は2番

（1）正しい。頭の皮膚は皮下脂肪が発達しているため、厚くて強く、かたさと弾力がある。（2）誤り。頭の皮下脂肪は全身の皮下脂肪と違った代謝を受

けているため、全身の皮下脂肪が増えても頭の皮下脂肪は増えない。（3）正しい。（4）正しい。

問題32. 正解は4番

A：誤り。痛覚の感覚受容器は自由神経終末である。マイスネル小体は触覚の感覚受容器である。B：誤り。温覚の感覚受容器はルフィニ小体である。パチニ小体は触覚の感覚受容器である。C：正しい。D：正しい。

問題33. 正解は3番

（1）正しい。（2）正しい。（3）誤り。抗しわ療法としてヒアルロン酸を注射することはあるが、レチノールを注射することはない。ただし、レチノールは、しわを防ぐための化粧品に配合されることがある。（4）正しい。

問題34. 正解は4番

（1）正しい。（2）正しい。（3）正しい。（4）誤り。悪性腫瘍の治療には放射線療法が用いられる。レーザー療法は、赤あざ（血管腫）や太田母斑などの治療に用いられる。

問題35. 正解は4番

（1）誤り。洗顔回数は1日2回ほどでよい。（2）誤り。状態が悪いときは、ファンデーションを使用しない。（3）誤り。皮膚が乾燥したら、油性成分の入っていない保湿剤を使う。（4）正しい。

香粧品化学

問題36. 正解は1番

（1）正しい。（2）誤り。医薬部外品は、医薬品と異なり、小売販売に許可制度は定められていない。（3）誤り。香粧品以外にも、整腸薬、栄養ドリンクなどさまざまなものがある。（4）誤り。香粧品は、芳香製品と化粧品の総称である。なお、医薬品医療機器等法で定める化粧品と医薬部外品の中の薬用化粧品などを含めて、香粧品とよんでいる。

問題37. 正解は1番

（1）正しい。（2）誤り。同じ製品でも、残り少なくなった容器に新しい製品をつぎ足してはならない。（3）誤り。初めて使う商品は、説明書を必ず読まなくてはならない。（4）誤り。香粧品は、凝固することがあるため、0℃以下になる場所で放置してはならない。

問題38. 正解は3番

（1）誤り。まつ毛エクステンションに用いる材料は、すべて雑貨の扱いである。（2）誤り。まつ毛エクステンションに用いる材料は、雑貨であるため医薬品医療機器等法の規制を受けない。（3）正しい。（4）誤り。ホルムアルデヒドは、強いアレルギー反応を起こすことがある。

問題39. 正解は2番

（1）正しい。（2）誤り。液状スタイリング剤には、ヘアクリーム、ヘアリキッドなどがある。ジェルは、高分子物質を基剤とするスタイリング剤の一種である。（3）正しい。（4）正しい。

問題40. 正解は4番

（1）誤り。強力な収れん剤により、毛孔及び汗孔（かんこう）のタンパク質を凝固して閉塞し、発汗を抑制することで体臭を防止する。（2）誤り。殺菌剤により、アポクリン腺からの分泌物を分解する微生物の発育・活動を抑制することで体臭を防止する。（3）誤り。携帯に便利で使用法が簡単なのは、ロールオンタイプやスプレータイプのものである。（4）正しい。

文化論及び美容技術理論

問題41. 正解は1番

（1）正しい（2）誤り。モダンガールの間で流行したのは断髪である。（3）誤り。マーセルウエーブは耳隠しに用いる技術である。（4）誤り。新劇女優によって結われたのは女優髷である。

問題42. 正解は4番

（1）誤り。マンボズボンは、男性の細身のズボンである。（2）誤り。落下傘スカートは、ウエストを絞りペチコートで膨らませたスカートである。（3）誤り。チューリップラインは、1953年、クリスチャン・ディオールが日本のショーで発表して話題となった。（4）正しい。サックドレスは、筒型のシルエットが特徴である。

問題43. 正解は4番

（1）誤り。マッシュルームカットは、イギリスのロックグループのビートルズの影響で流行した髪型である。（2）誤り。アイビールックは、頭から爪先までをアメリカ東部私立大学のキャンパスファッションで統一する総合的な

ファッションである。（3）誤り。コンチネンタルスタイルは、ヨーロッパ大陸風のスタイルの意味で、アメリカ型のスーツに対して使われる用語である。（4）正しい。アンチテーゼとは、ある命題に対する反対命題のことをいう。

問題44. 正解は3番

（1）誤り。刀身は刃の部分である。（2）誤り。刃元は、刃の一番手前側である。（3）正しい。（4）誤り。刀首は刃の上側の角のことである。

問題45. 正解は1番

（1）正しい。（2）誤り。プレーンリンシングとは、リンス剤を用いずに水やぬるま湯だけですすぐことをいう。（3）誤り。パーマネントウエーブやヘアカラー施術前にトリートメントを行うこともあり、プレトリートメントという。（4）誤り。パーマネントウエーブやヘアカラー施術後は、毛髪のpHがアルカリ性に傾いているため、酸性効果のあるリンス剤を用いる。

問題46. 正解は2番

（1）誤り。ジョバネッリの錯視とは、等間隔に規則的に配置されている点が、三角形や正方形、円形の枠で囲まれることで、等間隔に見えなくなる現象をいう。（2）正しい。枠組み効果とは、枠組みによって対象の位置がずれて見える現象をいう。（3）誤り。主観的輪郭線とは、実際に存在していない輪郭線がそこにあるかのように見えることをいう。（4）誤り。ツェルナー錯視とは、2本の線分が鋭角に交差する場合、交差角が実際の交差角より広く見える錯視のことをいう。

問題47. 正解は3番

（1）誤り。やわらかい印象はない。（2）誤り。毛髪は必ずしも短くはない。（3）正しい。鋭利な直線でできたスパイキーなスタイルである。（4）誤り。シャープで強い印象を受ける。

問題48. 正解は4番

（1）誤り。ワンレングススタイルは、毛髪が自然に落ちる位置にパネルをシェープし、すべてを同一線上でカットしたスタイルである。（2）誤り。グラデーションスタイルは、上部の層ほど毛髪が長くなるようダウンステムでパネルをシェープしたスタイルである。（3）誤り。レイヤースタイルは、上部の層の毛髪が短く下部の層の毛髪が長くなるようアップステムでパネルをシェープしたスタイルである。（4）正しい。

問題49. 正解は1番

（1）誤り。ノーマルテーパーカットは、毛先から1／3ほどをテーパーする。（2）正しい。（3）正しい。（4）正しい。

問題50. 正解は2番

（1）誤り。髪につやと美しいウエーブを得るために毛束を引く力は、上向きの矢印である。（2）正しい。（3）誤り。ロッドと巻かれた毛の重みの力は、下向きの矢印である。（4）誤り。ゴムの弾力で毛束を止めておく力は、輪ゴムの両端から内側に働く力である。

問題51. 正解は3番

（1）誤り。ダウンスタイルは、頭頂部を中心に下方にロッド配列していくスタイルである。（2）誤り。ツイスト＆ロールスタイルは、毛先にひねり（ツイスト）を入れ、さらにロッドを巻き込むスタイルである。（3）正しい。（4）誤り。サイドのスライスを縦に取り、後方に強い方向性をつけるスタイルである。

問題52. 正解は1番

（1）正しい。（2）誤り。Bはリッジ（隆起線）である。（3）誤り。Cは開口（オープンエンド）である。（4）誤り。Dは閉口（クローズドエンド）である。

問題53. 正解は2番

（1）正しい。（2）誤り。1剤と2剤を指定された割合で混ぜ合わせる。（3）正しい。（4）正しい。

問題54. 正解は3番

（1）誤り。初回の施術で発病することもあり、施術を重ねていくうちに発病することもある。（2）誤り。過去に発病しなかった物質でもかぶれることはある。（3）正しい。（4）誤り。アレルギー性の場合は接触した部位を超えて症状が現れることがある。

問題55. 正解は3番

（1）誤り。肩山は肩の上の部分である。（2）誤り。袖山は袖の上の部分である。（3）正しい。（4）誤り。共襟は上部の襟の部分である。

第6回　模擬試験問題　　解答

試験科目	問題番号	解答番号	試験科目	問題番号	解答番号
関係法規・制度及び運営管理	1	(1)		29	(2)
	2	(3)		30	(2)
	3	(3)		31	(3)
	4	(3)		32	(1)
	5	(3)		33	(4)
	6	(3)		34	(1)
	7	(3)		35	(1)
	8	(4)	香粧品化学	36	(3)
	9	(2)		37	(3)
	10	(3)		38	(4)
衛生管理	11	(2)		39	(4)
	12	(2)		40	(2)
	13	(3)	文化論及び美容技術理論	41	(3)
	14	(4)		42	(3)
	15	(3)		43	(4)
	16	(1)		44	(4)
	17	(3)		45	(4)
	18	(2)		46	(1)
	19	(1)		47	(3)
	20	(1)		48	(4)
	21	(4)		49	(3)
	22	(4)		50	(1)
	23	(2)		51	(2)
	24	(2)		52	(2)
	25	(2)		53	(1)
保健	26	(3)		54	(4)
	27	(3)		55	(1)
	28	(3)			

関係法規・制度及び運営管理

問題1．正解は1番

（1）正しい。美容師免許は、美容師試験に合格した者の申請により、美容師名簿に登録することによって行う（法第5条の2）。精神の機能の障害により美容師の業務を適正に行うに当たって必要な認知、判断および意思疎通を適切に行うことができない者に免許を与えられないことはあるが（法第3条第2項、施行規則第1条の2）、伝染性疾病を理由に免許を与えられないことはない。（2）誤り。法第6条は無免許営業を禁止しており、法第3条2項2号では、無免許営業禁止に該当する者に免許を与えないことがあると定めている。（3）誤り。美容師免許を取得するには、美容師試験に合格する必要があり、美容師試験は、美容師養成施設において必要な知識および技能を修得した者でなければ受験することができない（法第4条第3項）。（4）誤り。理容師養成施設の教科課程の基準第1章第1節第2款（かん）第5項では「美容師養成施設を卒業した者が理容師養成施設において履修する場合にあっては、関係法規・制度、衛生管理、理容保健及び理容の物理・化学の各教科課目のうち、その者が履修した美容師養成施設の教科課程を通じて同一の内容である教科課目の履修を免除することができる」と定めている。

問題2．正解は3番

（1）正しい。施行規則第1条第2号。（2）正しい。美容師名簿の登録事項に本籍地都道府県は含まれているが（施行規則第2条第2号）、住所地は含まれていないため、住所地を変更したとしても、美容師名簿の訂正を申請する必要はない。（3）誤り。業務停止処分になったときは、速やかに処分を行った者に免許証（免許証明書）を提出しなければならない（施行規則第7条第3項）。（4）正しい。免許証（免許証明書）を紛失したときは、再交付を申請することができるが（施行規則6条第1項）、申請する義務はない。

問題3．正解は3番

（1）誤り。環境衛生監視員による立入検査を妨害したときは、30万円以下の罰金に処せられる（法第18条第4号）。（2）誤り。美容師法に基づく衛生措置を行わなかったときは、都道府県知事等から美容所の閉鎖命令の行政処分を受ける（法第15条第2項・第8条）。（3）正しい。法第18条第2号・第12条。（4）誤り。管理美容師を設置していないときは、都道府県知事等から美

容所の閉鎖命令の行政処分を受ける（法第15条第1項）。

問題4．正解は3番

（1）誤り。美容師が業務停止処分に違反したときは、免許取消の行政処分を受けることがある（法第10条第3項・第2項）。（2）誤り。美容師が精神の機能の障害により業務を適正に行えないときは、免許取消の行政処分を受けることがある（法第10条第1項）。（3）正しい。免許取消後に、引き続き美容の業務を行ったときは、無免許営業になり、無免許営業は30万円以下の罰金に処せられる（法第18条第1号・第6条）（4）誤り。伝染性の疾病により就業が不適当と認められるときは、業務停止処分を受けることがある（法第10条第2項）。

問題5．正解は3番

（1）正しい。個人情報の保護に関する法律（個人情報保護法）では、個人情報データベース等を事業の用に供している個人情報取扱事業者を対象としており、個人情報の取扱い件数に関する制限はない（個人情報保護法第16条第2項）。（2）正しい。医薬品、医療機器等の品質、有効性及び安全性の確保等に関する法律（医薬品医療機器法）は、医薬品、医薬部外品、医療機器、再生医療等製品のほか、化粧品も規制対象としている（医薬品医療機器法第1条）。（3）誤り。廃棄物の処理及び清掃に関する法律（廃棄物処理法）では、産業廃棄物は燃え殻、汚泥、廃油等の廃棄物と、輸入・海外から携帯された廃棄物に限定している（廃棄物処理法第2条第4項）。毛髪は事業系一般廃棄物に分類される。（4）正しい。平成13（2001）年11月8日付の厚生労働省通知では、アートメイクは医療行為であり、医師ではない者が行うと医師法第17条違反になるとしている。

問題6．正解は3番

（1）誤り。労働者が使用者の同居の親族であるときは、労働基準法は適用されないが（労働基準法第116条）、別居の親族であるときは、労働基準法が適用される。（2）誤り。パートタイムの労働者に対しても、年次有給休暇を与えなければならない（労働基準法第39条第3項）。なお、パートタイムの労働者とは、1週間の所定労働時間が、同一の事業主に雇用される通常の労働者の1週間の所定労働時間に比べて短い労働者をいう。（3）正しい。労働基準法15条第1項。（4）誤り。労働時間が6時間を超えるときは、労働時間の途中に少なくとも45分の休憩時間を与えなければならない。また、労働時間

が8時間を超える場合は、少なくとも1時間の休憩時間を与えなければならない（労働基準法第34条第1項）。

問題7．正解は3番

（1）正しい。生活衛生関係営業の運営の適正化及び振興に関する法律（生衛法）第8条第1項第1号で、生活衛生同業組合が料金等の規制を設けることができると定めているが、美容業では平成9（1997）年に廃止された。（2）正しい。生衛法第56条の2第1項。（3）誤り。生活衛生同業組合は、区域の広さや人口に関わらず、1つの都道府県に1つしか設立できない（生衛法第6条）。（4）正しい。全国生活衛生営業指導センターは、経営の健全化を通じて衛生水準の維持向上を図り、利用者または消費者の利益を守るために設置されている（生衛法第57条の9第1項）。

問題8．正解は4番

（1）誤り。個人経営の事業者は、所得税は毎年3月15日まで、消費税は毎年3月31日までに提出しなければならない。（2）誤り。雇用主は、給与から源泉所得税を預かり、原則として翌月10日までに納めなければならない。（3）誤り。法人税や個人経営の場合の所得税は、利益が出ているときに納める。（4）正しい。申告や納税義務を怠った場合、罰則として延滞税や不納付加算税が課せられる。

問題9．正解は2番

（1）誤り。老齢基礎年金は、65歳に達したときに支給が開始し、給付額は、保険料納付済期間、保険料免除期間の月数などによって決定され、給付額は人によって異なる。（2）正しい。第1号被保険者および任意加入被保険者は、月額400円の付加保険料を納付することで、付加年金が支給される。（3）誤り。国民年金の第1号被保険者（自営業者等）の保険料は、所得に関わらず一定である。（4）誤り。遺族基礎年金は、被保険者が死亡したときに、収入や子との同居など一定の要件を満たした遺族に支給される。

問題10．正解は3番

（1）誤り。雇用保険の給付には、育児休業給付が含まれる。（2）誤り。雇用保険の基本手当は、自己都合で退職し失業したときにも支給される。（3）正しい。（4）誤り。通勤途上の事故による疾病に対しても、通勤災害に該当すれば支給される。

衛生管理

【公衆衛生・環境衛生】

問題11. 正解は2番

（1）誤り。母子建国手帳は、妊娠したことを市町村に届け出ると、希望の有無にかかわらず交付される。（2）正しい。（3）誤り。医療機関等での妊婦の健康診査は、すべての妊婦が対象である。（4）誤り。1歳6か月児、3歳児の健康診査は、虫歯の予防も目的である。

問題12. 正解は2番

（1）正しい。1型糖尿病は、免疫が原因といわれており、生活習慣とは無関係である。（2）誤り。糖尿病は、進行すると腎機能障害だけでなく、網膜症などを合併し失明することがある。（3）正しい。糖尿病は、国民病の1つといわれている。（4）正しい。インポテンツのほか、末梢神経障害、足の壊疽なども糖尿病の代表的な合併症である。

問題13. 正解は3番

（1）誤り。施行規則第27条1項では、作業面の照度を100ルクス以上とすることが規定されており、全体照明の照度の規定はない。（2）誤り。室内の照度が不適当な場合は、作業効率の低下を起こすことがある。（3）正しい。（4）誤り。理容所及び美容所における衛生管理要領では、作業面の照度は300ルクス以上が望ましいとされている。

問題14. 正解は4番

（1）誤り。熱中症のリスクが高まるのは、梅雨明け直後である。（2）誤り。スギやヒノキの花粉症の患者は、春に多くなる。（3）誤り。季節性インフルエンザの患者は、冬に多くなる。（4）正しい。ウイルス性食中毒の発生件数は、冬に多い。

問題15. 正解は3番

（1）正しい。一酸化炭素は無臭である。（2）正しい。人間が5ppmの濃度の一酸化炭素に20分曝露すると、高次神経系の反射作用の変化が起こる。濃度や曝露時間が多くなると、死に至る場合がある。（3）誤り。空気中には窒素が約78％含まれ、次いで多く含まれるのは酸素約21％であり、一酸化炭素はその他に含まれる。（4）正しい。

【感染症】

問題16. 正解は1番

a：正しい。b：正しい。c：誤り。ジフテリアに感染することはない。d：誤り。細菌性赤痢に感染することはない。

問題17. 正解は3番

（1）誤り。生きた細胞の中だけで発育し、環境中には存在しないのは、ウイルスである。（2）誤り。ウイルスは、変異によって強毒にも弱毒にもなることがある。（3）正しい。（4）誤り。常在細菌は、宿主（しゅくしゅ）の抵抗力低下により発病することがあり、日和見感染と呼ばれる。

問題18. 正解は2番

（1）誤り。結核の早期症状の1つは、2週間以上の長く続くせきである。（2）正しい。感染症の予防及び感染症の患者に対する医療に関する法律施行規則第27条の2の2に、健康診断の方法は「喀痰（かくたん）検査、胸部エックス線検査、聴診、打診その他必要な検査」と定められている。（3）誤り。感染症の予防及び感染症の患者に対する医療に関する法律第18条第2項により、美容師が罹患した場合は就業制限の対象になる。（4）誤り。年間の新規登録患者数は、近年も2万人弱である。

問題19. 正解は1番

（1）正しい。（2）誤り。細菌性赤痢は、大便に含まれた赤痢菌が手指などを介して口腔から入ることによって感染する。（3）誤り。デング熱は、患者を吸血したヤブカが媒介することによって感染する。（4）誤り。ラッサ熱は、主に患者の血液や排泄物と接触することによって感染する。

問題20. 正解は1番

（1）誤り。A型肝炎は、B型肝炎やC型肝炎と異なり、慢性肝炎へ移行しない。（2）正しい。キャリアの母親からの出産時の感染（垂直感染）や、乳幼児の感染は、持続性感染となり、ウイルスを排除できない持続感染者（キャリア）になる場合がある。（3）正しい。（4）正しい。

【衛生管理技術】

問題21．正解は４番

Aに「器具」が入る場合は、Bには「消毒する」が入る。Aに「布片」が入る場合には、Bに「取り替える」が入る。（3）（4）は、いずれの組合せも正しい。Cには「消毒設備」「照明」「喚起設備」などが入り、「滅菌設備」は入らない。

問題22．正解は４番

（1）誤り。蒸気より煮沸のほうが、短い時間で消毒できる。（2）誤り。薬液消毒では、温度が低いときは時間が長くかかる。（3）誤り。同じ時間と温度であれば、殺菌効果は湿熱のほうが高い。（4）正しい。

問題23．正解は２番

a：正しい。b：誤り。微生物を殺さないまでも、発育や作用を止めることを防腐という。c：正しい。d：誤り。あらゆる微生物を殺すか除去して、生きている微生物が存在しない状態にすることを滅菌という。殺菌とは、一般に微生物を殺すことで、すべての微生物ではなく、一部の微生物を殺すことも殺菌になる。

問題24．正解は２番

（1）誤り。逆性石けん水溶液は、ほとんど無臭である。（2）正しい。（3）誤り。両性界面活性剤水溶液は、無臭である。（4）誤り。次亜塩素酸ナトリウム水溶液は、塩素の刺激臭がある。

問題25．正解は２番

（1）誤り。消毒用エタノールは、揮発性が強く、引火性がある。（2）正しい。（3）誤り。エタノールの濃度は、76.9〜81.4％である。（4）誤り。消毒効果は、逆性石けんと併用しても減弱しない。なお、逆性石けんの消毒効果は、普通の石けんと併用すると減弱する。

保健

【人体の構造及び機能】

問題26．正解は３番

（1）誤り。人中は、上唇の正中線を上下に走る溝である。（2）誤り。赤唇

縁は、口唇のことである。（3）正しい。（4）誤り。オトガイ唇溝は、下唇とオトガイ部との間にある弯曲したアーチ状の溝である。

問題27.　正解は3番
（1）誤り。心筋は、副交感神経の興奮により抑制的になる。（2）誤り。立毛筋は、交感神経の興奮により収縮するが、副交感神経が分布していないため、副交感神経の興奮による影響はない。（3）正しい。気管支の平滑筋は、副交感神経の興奮時には酸素を多く取り入れる必要がないため、収縮する。（4）誤り。皮膚血管の平滑筋は、副交感神経の興奮時には外傷による出血に備える必要がないため、拡張する。

問題28.　正解は3番
（1）誤り。角膜は眼球の正面中央部にある。（2）誤り。虹彩は角膜の後方にある。（3）正しい。（4）誤り。毛様体は網膜の外側にある。

問題29.　正解は2番
（1）正しい。（2）誤り。リンパ管には、静脈に似た逆流を防ぐ弁がある。（3）正しい。（4）正しい。

問題30.　正解は2番
a：誤り。単球は大きな核を持つ。b：正しい。赤血球は核を持たない。c：正しい。血小板は核を持たない。d：誤り。リンパ球は小さな核を持つ。

【皮膚科学】

問題31.　正解は3番
（1）正しい。（2）正しい。（3）誤り。メラニンが産生され、皮膚の色が濃くなることをサンタンという。（4）正しい。

問題32.　正解は1番
（1）正しい。伝染性膿痂疹（トビヒ）は、化膿菌、特にブドウ球菌に侵されて発症する。（2）誤り。疥癬は、ヒゼンダニの寄生により発症する。（3）誤り。伝染性軟属腫（ミズイボ）は、ウイルスを病原体とする。（4）誤り。頭部白癬（シラクモ）は、真菌（カビ）を病原体とする。

問題33.　正解は4番
（1）誤り。睫毛（まつげ）は、皮膚表面に斜めに生えている。（2）誤り。耳毛は、皮膚表面に斜めに生えている。（3）誤り。鼻毛は、皮膚表面に斜め

に生えている。（4）正しい。頭頂部の毛など、睫毛、耳毛、鼻毛以外の毛は皮膚表面に垂直に生えている。

問題34. 正解は1番

（1）正しい。ケルズス禿瘡は、白癬菌による感染性の皮膚疾患である。（2）誤り。尋常性乾癬（とくそう）は、免疫異常による疾患である。（3）誤り。尋常性白斑は、表皮の色素細胞の機能が停止して、メラニンがつくられないために起こる疾患である。（4）誤り。アトピー性皮膚炎は、アレルギーによる疾患である。

問題35. 正解は1番

（1）正しい。肝臓障害が原因で、皮膚が黄色になるだけでなく、かゆみが強くなったり、くも状血管腫などを引き起こしたりすることがある。（2）誤り。弾力、光沢に乏しい生気のない皮膚になるのは、腎臓が悪いときの皮膚変化である。（3）誤り。皮膚疾患が治りにくくなるのは、便秘による皮膚変化である。（4）誤り。化膿菌や真菌による感染症が起こりやすくなるのは、糖尿病による皮膚変化である。

香粧品化学

問題36. 正解は3番

（1）誤り。香粧品の防腐剤として最も汎用されるのは、パラオキシ安息香酸エステルである。パラアミノ安息香酸エステルは、紫外線吸収剤として使用される。防腐剤はである。（2）誤り。香粧品の酸化防止剤のトコフェロールは、ビタミンEである。（3）正しい。（4）誤り。香粧品に配合される殺菌剤には、ベンザルコニウム塩化物などがある。没食子酸プロピルは、酸化防止剤として使用される。

問題37. 正解は3番

（1）誤り。エタノールは、配合濃度が低くても静菌作用を持つ。（2）誤り。イソプロパノール（イソプロピルアルコール）は、独特の臭気を持つ。（3）正しい。（4）誤り。エタノール（エチルアルコール）は、化粧水などの溶媒として用いられる。

問題38. 正解は4番

（1）正しい。（2）正しい。（3）正しい。（4）誤り。ヒアルロン酸ナトリ

ウムは、保湿剤である。

問題39. 正解は4番

（1）正しい。（2）正しい。（3）正しい。（4）誤り。チオグリコールは、代表的な還元剤である。

問題40. 正解は2番

（1）誤り。ラノリンは、羊の毛から採取したロウである。（2）正しい。スクラワンには、深海鮫の肝油から採取したスクワレンを元に作られる植物性スクワランもある。（3）誤り。ミツロウは、ミツバチの巣から採取したロウである。（4）誤り。ホホバ油は植物性ロウであり、植物油のようなあぶらぎった感触はない。

文化論及び美容技術理論

問題41. 正解は3番

（1）該当する。（2）該当する。（3）該当しない。桃割れは若い女性が結う日本髪の1つである。（4）該当する。

問題42. 正解は3番

（1）正しい。（2）正しい。（3）誤り。バスガールの洋装の制服は、大正9（1920）年に採用された。（4）正しい。

問題43. 正解は4番

（1）正しい。（2）正しい。（3）正しい。（4）誤り。色直しは、大振袖の二枚重ねが正式であるが、現在では、中振袖を着用することもある。

問題44. 正解は4番

（1）正しい。（2）正しい。（3）正しい。（4）誤り。肩は、コームの胴の端の部分で、特に働きはない。毛髪を引き起こし、垂直に立てて両側から支え、そろえるのは、歯である。

問題45. 正解は4番

A：「母指球」である。B：「指腹」である。C：「環指」である。薬指のことをいう。

問題46. 正解は1番

（1）誤り。美容技術におけるシザーズ操作では、薬指孔のある鋏身を安定させて母指を動かす。（2）正しい。（3）正しい。（4）正しい。

問題47. 正解は3番

（1）誤り。人間の左右の目の高さが、対象を覆う黒いマスクの位置のずれによって変化して見えるとしたのは、カニッツァである。ドンディスは、形には正方形、円、正三角形の3つが基本形であるとした。（2）誤り。ポンゾ錯視は、同じ長さの線分の長さに関する錯視である。（3）正しい。（4）誤り。主観的輪郭線とは、実際には輪郭線が存在しないのに、輪郭線があるように見えることをいう。

問題48. 正解は4番

（1）誤り。ヘッドスパでは、シャンプーだけでは取り除けない毛穴の老廃物を取り除き、マッサージを行う。（2）誤り。ヘッドスパでは、5指を使い揉みほぐし、手のひらで圧迫し血行を促進する。（3）誤り。ヘッドスパでは、毛髪診断を行い、結果にあったトリートメントを施す。（4）正しい。

問題49. 正解は3番

（1）誤り。炭素鋼は、炭素が2％以下含まれている。（2）誤り。ステンレス鋼は、加工性がよい。（3）正しい。（4）誤り。コバルト鋼は、コバルトが約3〜6％含まれている。

問題50. 正解は1番

（1）誤り。パネルの面を頭皮に対して90度より下の角度で引くことを、ダウンステムという。アップステムは、パネルの面を頭皮に対して90度より上の角度で引くことをいう。（2）正しい。（3）正しい。（4）正しい。

問題51. 正解は2番

フルウェーブは使用するロッドの3回転分の毛髪の長さが必要である。直径12mmであれば、円周はその約3.14倍のため、12mm×3.14＝37.68mmであり、その3回転分の長さが必要である。したがって、37.68mm×3＝113.04mm≒11.3cm

問題52. 正解は2番

（1）正しい。（2）誤り。バッフィングは、爪の表面の凹凸を滑らかにすることをいう。爪の形と長さを整えることは、ファイリングという。（3）正しい。（4）正しい。

問題53. 正解は1番

（1）正しい。（2）誤り。生え際で毛髪の立ち上がりを求める場合は、ベースを薄くする。（3）誤り。ストランドの中心を頭皮に対して45度にシェーブ

してローラーを巻くと、カールのボリュームが小さくなる。（4）誤り。ダウンステムでボリュームを抑える場合は、ベースを厚めにする。

問題54.　正解は4番

（1）誤り。仕上げに表面の毛の流れを整えるために使うのは、鬼歯である。（2）誤り。全体の仕上げのために使うのは、はまぐり歯である。（3）誤り。桃割れや銀杏返しなどの輪ものを結うときに、元結を通して使うのは、元結通しである。（4）正しい。

問題55.　正解は1番

（1）正しい。（2）誤り。小柄な人には、帯の幅は狭くする。（3）誤り。留袖では、若い人の帯幅は広めにする。（4）誤り。補正は肌襦袢を着た上に行う。